〈터키 여행기 2: 아나톨리아 반도〉

잊혀진 세월을 찾아서

송근원

〈터키 여행기 2: 아나톨리아 반도〉

잊혀진 세월을 찾아서

발　행 | 2021년 12월 17일
저　자 | 송근원
펴낸이 | 한건희
펴낸곳 | 주식회사 부크크
출판사등록 | 2014.07.15.(제2014-16호)
주　소 | 서울특별시 금천구 가산디지털 1로 119 SK트윈타워 A동 305호
전　화 | 1670-8316
이메일 | info@bookk.co.kr

ISBN | 979-11-372-6641-4
www.bookk.co.kr

머리말

터키를 여행한 것은 약 6개월 동안 이스탄불에 머물던 때였다.

이스탄불은 예부터 번성한 아시아와 유럽을 잇는 지정착적 위치에 있는 큰 도시이다.

그만큼 볼만한 것들이 많다.

그 가운데, 블루 모스크와 소피아 사원, 돌마바흐체 궁전, 톱카프 궁전, 인류학 박물관, 갈라타 탑, 일드즈 궁전, 룸멜리 요새 등 옛 건축물이나 옛사람들의 체취를 느낄 수 있는 곳도 좋지만, 아시아와 유럽을 가르는 보스포러스 해협을 따라 펼쳐지는 경치 또한 볼 만하다.

한편 터키에는 이스탄불만 있는 것이 아니다. 워낙 큰 나라이기도 하고, 오래된 역사가 숨 쉬는 곳이기에, 동서 문화가 융합되어 공존하고 있는 수많은 유적들과 유물 등이 곳곳에 산재해 있다.

먼 먼 옛날의 '트로이의 목마' 전설이 남아 있는 트로이 방문을 시작으로, 아나톨리아 반도의 서쪽 해안을 따라 아소스, 페르가몬, 에베소, 프리에네, 밀레투스, 디딤 등 고대 로마 유적들을 둘러보는 것은 정말 옛 로마시대의 영화와 역사를 체험하는 여행이기도 하다.

또한 이 여행은 옛 초기 기독교의 전파 통로이기도 하여 성지 순례의 성격을 띠기도 한다. 예컨대, 12사도 중의 막내인 요한이 모시고 산 성모 마리아의 집터가 있는 에베소, 7인의 교회가 있었던 알라세히르, 그리고 베드로가 머물며 포교를 했던 성경에 안티옥으로 나타나는 안타키아 등의 방문은 완전히 기독교 성지 순례 여행이라고 할 수도 있다.

한편, 이러한 고대 기독교와 로마 문화 이외에도, 아나톨리아 반도의 서부 해안에는 보드룸, 페티예 등 경치 좋고 인심 좋은 머물고 싶은 휴양도시들도 많다.

이러한 도시들을 방문하며 쉬면서 주변의 기독교 유적이나 로마 유적을 방문하는 것도, 그리고 여기에 온천에 녹아 마치 목화송이들이 뭉쳐진 듯한 하얀 석회암들의 도시 파묵칼레와, 붉은색 크르무즈 용출수가 만들어낸 붉은 석회암 바위들과 온천 휴양소가 있는 카라하이으트를 방문하는 것을 엮어 새로운 관광코스를 개발해 봄 직도 하다. 아마 꽤 괜찮은 관광 코스가 될 것이다.

그러나 무엇보다도 신기한 경치는 단연 괴뢰메이다.

괴뢰메(페르샤어로는 카파도키아)는 화산재가 굳어 원뿔 모양의 봉우리들과 버섯 모양의 기둥들이 널려 있는 곳으로서 그 속에 굴을 파고 사람들이 거주하는 마치 동화 속의 나라에 온 듯한 느낌을 주는 곳이다.

이 신기하고 기이한 것은 직접 경험해보시라!

괴뢰메와 그 부근의 데린구유의 지하 도시, 그리고 으흘라라 계곡을 거쳐 셀리메 역시 꼭 가 봐야 할 곳이다.

데린구유는 지하 동굴도시로 잘 알려진 곳이고, 환상의 도시 셀리메 역시 화산재가 뭉치고 깎여 생긴 곳으로서 셀리메를 오르면서 굴 밖으로 내다보는 경치는 마치 외계의 행성에 온 듯한 느낌을 주는 곳이어서 반드시 방문하길 권하는 곳이다.

특히 석양에 비치는 괴뢰메나 셀리메의 경치는 그야말로 압권이다.

물론 여기에서 볼룬을 타고 관광하는 것도 권할 만하다.

이들이 두 권의 터키여행기 속에 녹아 있다.

만약 이스탄불을 여행하시려는 분들에게는 〈터키 여행기 1〉을 권하고, 파묵칼레, 괴뢰메, 그리고 아나톨리아 반도에 남아 있는 로마 유적과 옛 기독교의 숨결을 찾으시는 분들에게는 〈터키여행기 2〉를 권한다.

터키 여행을 하시는 분들께 많은 도움이 되기를 바라며.

2021년 12월

솔뜰

차례

1. 그냥 갈까, 돌아갈까? ▷ 1

2. 시간을 초월하여 사는 사람들 ▷ 8

3. 늦은 밤 호텔을 찾아 헤매다. ▷ 14

4. 코앞의 섬이 그리스 영토라니? ▷ 22

5. 세월이 흐르면 신전은 기둥만 남는다. ▷ 28

6. 산비탈의 원형극장 ▷ 35

7. 성 요한 성당에는 두루미가 산다. ▷ 43

8. 누가 잠들어 있을까? ▷ 50

9. 아침마다 이곳에 앉아 무슨 이야기를 나누었을까? ▷ 54

10. 발바닥 작은 놈, 서러워 살겠나? ▷ 62

11. 성모 마리아가 '휘익~'하고 승천하신 곳 ▷ 70

12. 고대 7대 불가사의?: 아르테미스 신전 ▷ 77

13. 거북아, 거북아 고개를 내밀어라 ▷ 81

14. 극장의 로얄 석에 앉아보다. ▷ 89

15. 밀레투스 유적 ▷ 95

16. 길 떠나면 모든 게 관광이다. ▷ 103

17. 미지의 세계가 기다리고 있으니 ▷ 109

18. 하늘에서 헤엄친 거북 ▷ 116

19. 불가사의한 것이 불가사의하다.
▷ 123

20. 파라 요크, 파라 요크(돈 없어, 돈 없어) ▷ 130

21. 죽음의 바다 욜류데니즈
▷ 139

22. 순경이 차를 세우니 마음은 쫄아들고……. ▷ 143

23. 유령의 마을 ▷ 149

24. 순직한 교통순경의 석관이 아닐까? ▷ 156

25. 한국 여자와 결혼한 것은 행운 중의 행운 ▷ 162

26. 표를 안 사고 슬쩍 들어간 꼴
▷ 168

27. 목화성 ▷ 173

28. 붉은 온천 ▷ 180

29. 조금만 더 길게 내다볼 것을…….
▷ 187

30. 고난의 산물-오아시스 ▷ 196

31. 사랑받는 산, 괴뢰메 ▷ 202

32. 똘똘한 공무원은 빨리 본청으로 보내야 하는 건데…….
▷ 208

33. 사과는 어디에 있나? ▷ 217

34. 굴뚝바위, 버섯바위, 촛대바위
▷ 224

35. 비둘기 계곡 ▷ 229

36. 지하 도시에서 화장실은?
▷ 238

37. 울랄라 계곡 끝 환상의 도시 셀리메 ▷ 247

38. 산이 높으면……. ▷ 257

책 소개▷ 267

1

1. 그냥 갈까, 돌아갈까?

2007.4.14 토

이스탄불을 7시 15분에 출발하여 서쪽 해안을 따라 달린다.

이스탄불은 달동네가 많고 너무나 허름한 집들이 많아 아름답다고 생각했던 상상이 허무하게 무너졌지만, 이곳 해안가로 달리면서 보는 도시들은 초원 위에 붉은색 지붕을 이고 있는 집들은 아름답다.

이스탄불보다 훨씬 잘 사는 것 같다. 넓은 땅 위에서 좋은 공기에 띄엄띄엄 살면 오죽 좋은가? 왜 이스탄불에만 몰려들어 복닥대는지…….

테키르닭(Tekirdağ)에서 샤르쿄이(şarköy) 가는 길로 들어섰다.

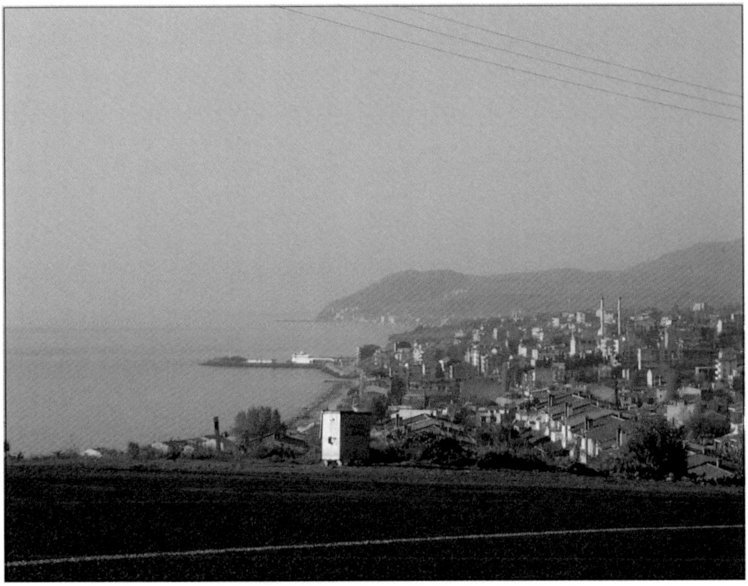

이스탄불을 떠나 데키르닭 가는 길

샤르쿄이

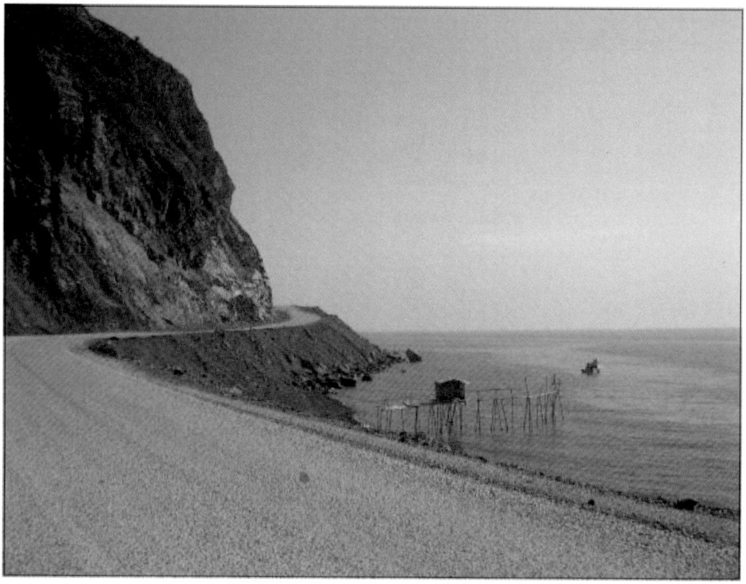

데키르닭 가는 길: 마르마르 바다

테키르닭(Tekirdağ)의 닭(dağ)에서 ğ 발음은 목구멍을 긁어내는 소리로서 "ㄹ"과 "ㄱ"이 섞인 음으로 소리값이 낮아 홀소리 비슷하게 발음되기도 한다.

"닭(dağ)"의 본소리 'ᄃᆰ'은 '달/돌' 또는 '닥/덕/독/둑'으로 분화되는데, 산을 의미한다. 우리말의 언덕, 둔덕, 논둑의 '덕', '닥', '둑', 아사달의 '달', 일본말의 "다께(岳)" 따위의 옛 발음으로 볼 수 있다.

한편 샤르쿄이(şarkoy)의 "쿄이(koy)"는 마을, 동네를 의미한다.

조금 가니 비포장도로가 나온다.

산위로 오르는 길인데 왼쪽에는 마르마라(Marmara) 바다가 낭떠러지 밑으로 보이고, 안개 속에 바다 건너 아시아 땅이 솟아 있다.

1. 그냥 갈까, 돌아갈까?

마르마라(Marmara) 바다는 지중해와 흑해를 이어주는 바다인데 양쪽 끝이 좁아 육지에 둘러싸인 내해(內海) 같다. 우리는 그저 “말마라” “말마라”했던 바다인데 ‘마르’는 불어로 바다라는 뜻이고, 우리말에서는 ‘물’로 쓰인다. 따라서 ‘마르마라’는 바다의 바다라는 뜻일 게다.

경치는 좋다.

그러나 땅이 비포장인데다 울퉁불퉁하여 시간이 많이 지체되었다.

이럴 줄 알았으면 진즉에 돌아갈 걸. 잘못을 알았다면 즉시 되돌려야 한다.

잘못된 결정에 든 시간과 노력이 아까워 뭉그적거리다가는 그 손해가 점점 더 커진다. 그 동안 든 시간과 노력은 재빨리 손실로 처리하고

데키르닭 가는 길: 마르마르 바다

터키 마을 입구의 나무

더 좋은 결정에 따라야 하는 법이다.

인생도 이와 같다.

잘못된 길로 들어서는 경우, 그것을 깨닫는다면 즉시 청산하고 좋은 길로 들어서야 전화위복이 되는 법이다.

어찌되었든 지도만 보고 경치 좋은 길로 표시되어 있는데다가 지름길 같아 들어섰는데 이제는 되돌아 갈 수가 없다. 그냥 가는 수밖에 없다.

왜냐면 벌써 우물쭈물하다가 1/3쯤 비포장으로 왔기 때문이다.

되돌아가는 길만큼 가면 그 만큼만 더 가면 되지만, 되돌아가면 비록 좋은 길이라지만 두 배를 더 가야하는 까닭이다.

1. 그냥 갈까, 돌아갈까?

게다가 이곳은 경치가 좋지 않은가?

바다에서 바로 솟은 산들이 적어도 4-500 미터는 넘는 듯싶다.

그러니 그곳에서 내려다보는 바다는 아찔할 수밖에 없고, 사람도 차도 없으니 그런 대로 갈 만한 가치는 있는 것이다.—이것은 스스로를 위로하는 방법일 뿐 자동차만 불쌍하다.

샤르쿄이까지 가는 도중에 전형적인 산 속의 터키 마을과 마을 입구 들어서는 곳의 커다란 당산나무를 보니 한국과 비슷하다는 생각도 든다.

여하튼 경치는 참으로 좋다.

바다도 산도 마을도. 간간이 보이는 바닷가의 마을들 역시 아름다운

양귀비

해안과 함께 잘 어우러지는 한 폭의 그림이다.

대개 마을 가운데에는 이들의 교회당인 모스크가 첨탑을 곧추 세우고 있고 그 주변으로 붉은 지붕을 인 집들이 옹기종기 모여 있는 정감이 가는 마을들이다.

길에는 아주 빨간 색의 종잇장처럼 얇은 꽃잎에 까만 암술을 지닌 정말 이쁜 꽃들이 피어 있다.

민아 이야기로는 터키의 봄철에는 민들레와 양귀비가 많이 피어있다고 책에 쓰여 있다는데 정말로 양귀비 맞나 모르겠다.

여하튼 그 말을 듣고 보니 그 아름다움이나 교태가 양귀비일 것 같다는 생각이 든다. 정말 예쁘다.

샤르쿄이에서 카박쿄이 가는 길: 터키 농촌 풍경

1. 그냥 갈까, 돌아갈까?

나중에 돌아와 인터넷을 찾아보니 양귀비 맞다.

우리나라에서는 재배가 금지되어 있는데 이곳은 양귀비 천지다. 왜 그런고?

나중에 알아보니, 양귀비는 양귀비이지만, 이는 재배가 가능한 꽃양귀비라고 한다.

어찌 되었든 들판 이곳저곳에 피어있는 꽃양귀비가 아름답긴 하다.

2. 시간을 초월하여 사는 사람들

2007.4.14 토

카박쿄이(Kavakköy)를 거쳐 남하하는데 오른쪽 지중해의 바다가 너무 아름답다.

노란색의 유채 꽃도 너무 아름답다.

사진을 찍으려고 골목으로 들어가는 길에 차를 세워 놓았는데, 사진을 찍자마자 조그마한 차가 하나 들어온다.

차를 한 옆으로 비켜주니 골목으로 들어간다.

우리도 골목에 들어선 김에 바다나 보고 가자며 따라 들어가 꺾어

터키 농촌 풍경: 유채꽃

카박쿄이 지나 어느 집 별장 꽃나무

카박쿄이 지나 어느 집 별장

진 골목에서 차를 돌려 세워 놓고 내린다.

코 앞 에 는 무슨 나무인지 모르겠으나 처음 보는 나무의 꽃도 너무 좋다.

우리 앞에 간 차는 꺾어진 골목에서 들어가 차를 세웠는데 나이든 부부와 아들이 따라 내린다.

우 리 보 고 인사를 한다.

더듬거리는 터키말로 인사를 하고 이야기를 해보니 주말이라 에디르네(Edirne)에서 왔다고 한다.

자기들 별장인데 마당의 잡초도 뽑아주고 주말에 쉬려고 왔다는데 여유가 있는 사람들이라 그런지 너무 사람들이 친절하고 좋다.

에제아밭에서 차낙칼레로 페리하는 중

함께 바다와 집을 배경으로 사진을 찍는다.

정원에는 바비큐해 먹을 수 있도록 화로가 설치되어 있는데 바다에서 고기를 잡아 구워 먹는다고 한다.

갈 길이 멀어 하직 인사를 하고 에제아밭(Eceabat)으로 간다. 왼편은 마르마라 바다이고 오른 편은 지중해인데 가는 길의 경치는 정말 좋다.

에제아밭에서 페리하기 전에 식사를 한다.

페리하는 시간을 물어도 대답을 안 하더니만, 아니 대답할 수가 없었을 거다. 언제 올지 모르니까! 오면 타고, 타면 떠나니 정해진 시간이 있을 수 없는 것이다.

2. 시간을 초월해 사는 사람들

이런 걸 보면 아마도 터키인들은 시간을 초월해서 살고 있는가 싶다.

식당 주인이 우리에게 배가 온다고 알려주어 허겁지겁 달려 나가 차를 끌고 배에 오른다.

페리 비용은 세 사람과 차를 포함하여 12리라(8,400원)이다.

바다 건너 차낙칼레(Çanakkale)에서는 바로 트로이를 향하여 표지판만 보고 달린다.

트로이는 이곳에서는 트루바(Truva)로 부르는데 오디세이에 나오는 트로이의 목마 전설이 담겨 있는 곳이다.

트로이의 목마

기대를 가지고 왔으나 전설이 사람을 불러 모았을 뿐 별로 볼 것이 많은 것은 아니다.

물론 입구에는 커다란 목마를 제작해 놓아 그 안으로 아이들이 들어가 목마의 창문을 열

트로이 성의 유적: 원형극장

트로이 성의 잔해

2. 시간을 초월해 사는 사람들

트로이 성의 잔해

고 내다보며 놀고 있다.

그리고 이곳저곳에 흩어진 기둥과 큰 항아리며, 기타 건물 조각들, 그리고 황량한 폐허 자체가 잔잔히 그 흔적을 보여주고는 있지만 그 규모가 생각한 것보다 훨씬 작아 그저 꽤 큰 부잣집 별장만 하다는 생각이 든다.

그러니 목마에 숨어있던 병사들이 성을 함락시킬 수 있었을 것이다.

달콤하던 해리스 왕자의 헬렌에 대한 사랑의 전설도, 신들의 질투도, 그래서 생긴 전쟁 속에 탄생한 목마도, 영웅인 아킬레스도 그저 늘어진 세월 속에서 이제 사람들을 불러 모으는 데 한 몫을 할 뿐…….

그저 허무할 뿐이다.

3. 늦은 밤 호텔을 찾아 헤매다.

2007.4.14 토

트루바를 나와 이제 아소스(Lassos) 유적을 보러 간다.

베흐람칼레(Behramkale)라는 항구에 면해 있는 산위의 아소스 유적은 산을 넘고 또 넘어가면 눈앞에 멀리 나타나는데, 와! 감탄이 절로 인다.

산위에 성채를 구축하고 그 안에 신전이며, 극장이며, 건물들을 짓고 사는 것은 침입하는 적을 방어하는 데 유리하기 때문일 것이다.

그리스 로마 시대의 성은 대부분 산꼭대기에 있다.

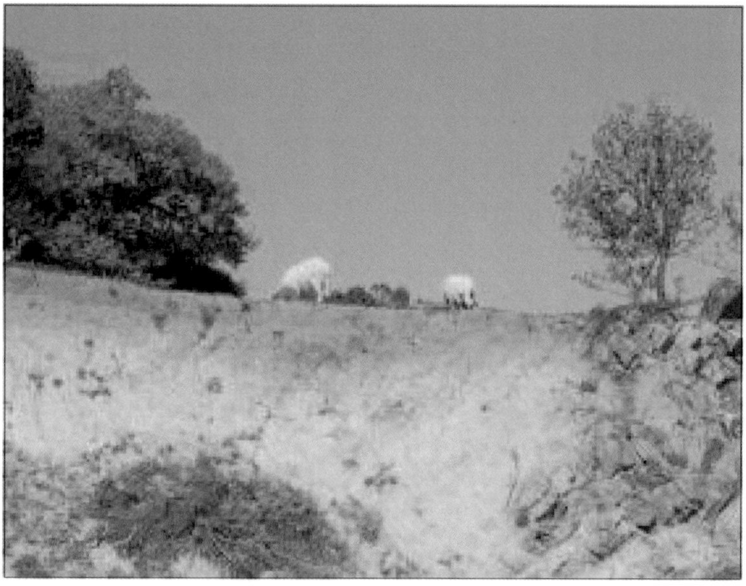

아소스 유적 가는 길의 양떼

아소스 유적

얼마나 전쟁을 하였으면 그러했을까?

그렇지만 거대한 신전과 빌딩들을 짓기 위해서 얼마나 힘든 과정을 거쳤을 것인가!

아소스 유적 곁을 돌아 일단 베흐람칼레까지 계속 가보기로 했다.

'칼레'는 터키어로 성이라는 뜻이니 아마 바닷가에 성이 있을 것이라는 기대와 함께.

그러나 구불구불한 길을 따라 내려가 보니 길은 끝나고 바닷가에 옹기종기 붙어 있는 것은 모두 레스토랑과 호텔들이다.

그러니 베흐람칼레는 아소스 유적이 위치한 산위의 성과 동의어일 것이다.

아소스 유적

만약 시간만 충분하다면 이곳 바닷가까지 내려와 여유를 즐기는 것도 좋을 것이다.

그렇지만 시간이 없으면, 우선 아소스 유적부터 보고 내려가든지 말든지 결정할 일이다.

집집마다 생선을 파는데 여러 가지 생선들이 가게 앞에 진열되어 있다.

시간은 오후 5시가 좀 안 되어 저녁 먹기에는 좀 이르지만 생선의 손짓이 강렬하다.

그러나 곧 해가 질 것 같아 여기에서 생선을 시켜 밥을 먹다가는 아소스 구경은 못할 거 같다는 생각이 들어 유혹을 뿌리치고 다시 산위

3. 늦은 밤 호텔을 찾아 헤매다.

로 오른다.

아리스토텔레스가 이 도시에 살며 대학을 개설하였다고 하는데, 먹는 게 중요한가?

내가 참 결단력이 있으니 그렇지, 그렇지 않으면 생선과 밥을 먹고, 아리스토텔레스건 아소스 유적이건 내팽개쳤을 게다.

오르다 보면, 오른쪽으로 원형극장이 있다.

산에는 건물의 잔해들과 성벽, 그리고 신전 기둥만이 남아 있을 뿐……. 그래도 트로이 유적보다는 훨씬 볼 만하다.

아소스 유적을 나와 목적지인 아이발릭(Ayval ık)으로 향한다.

해가 참 많이 길어졌다.

아소스 유적: 원형경기장

밤 8시에 아이발륵에 도착하였는데 잘못하다가는 식사를 거르겠다 싶어 책에 나와 있는 바닷가의 유명한 생선 집을 찾는다.

책에 나와 있어서 그런지 친절하고 바가지도 안 씌운다.

저녁을 잘 먹고 이제 호텔을 찾는데 컴컴하니 어디에 어떤 호텔이 있는지 알 수가 없다.

완전히 호텔 찾아 3만 리이다.

그저 바닷가 쪽으로 달리면서 호텔을 찾는다.

그러나 너무 컴컴하여 장님 코끼리 더듬기 식이다.

결국 인터넷에서 찾은 호텔을 포기하고 처음 보이는 호텔에서 방값을 물어보니 방 하나에 60리라(42,000원)를 달라고 한다.

아소스 유적

3. 늦은 밤 호텔을 찾아 헤매다.

아소스 유적: 돌기둥

너무 늦은 시간인데다가 몸도 마음도 너무 피곤하여 민아(터키 바흐체세히르 대학에 온 교환학생)만 없었으면 그냥 들어갔을 것이다.

그렇지만 동행하는 민아는 얼마나 악착같은지 싼 호텔을 찾아야 한다는 것이다.

학생이니 한편으로 당연하다 여기면서도 너무나도 지쳐있어 민아의 철두철미한 절약 정신에 저절로 짜증이 난다. 표현할 수도 없고…….

그럴 바에야 혼자서 배낭여행을 하지……. 속에서만 삭이는 소리다.

그렇지만 생각을 고쳐먹는다.

학생이 어찌 60리라(42,000원)나 주고 잘 수 있겠는가?

그렇다고 떼어 놓고 우리만 잘 수도 없는 일!

물론 싱글이니 40리라(28,000원) 정도로 깎을 수는 있겠지만, 이것도 학생에게는 큰돈일 것이다.

겨우겨우 밤 10시가 넘어서서야 물어물어 목적했던 메가스(Megas) 호텔을 찾아들었다.

방 두 개에 50리라(35,000원)로 흥정이 되었다.

민아의 절약 정신이 드디어 성공한 것이다. 민아, 만세다!

역시 하느님은 열심히 원하면 들어주신다.

이 호텔은 값만 쌀 뿐 아니라 집도 깨끗하고 크기도 크다. 수영장도 갖추고 있고, 이 가격에 아침 식사도 포함된다.

무엇보다도 이 호텔을 운영하는 아들이나 아버지나 참 사람들이 친절하고 좋다. 아침 식사도 훌륭하고!

떠날 때에는 아들, 아버지, 어머니 모든 가족이 다 나와 손님들을 배웅한다.

정말 싸고 좋은 호텔로 추천하고 싶다.

민아는 자기가 먹은 것, 자는 것만큼은 모두 자신이 계산하겠다고 한다. 참 훌륭한 학생이다.

같이 다니고 같이 먹으면서 따로 계산을 하는 것은 젊은이들끼리라면 몰라도 우리 나이에는 참으로 힘들다.

그렇다고 일주일 넘는 여행 경비를 전부 대 줄 수 있는 형편도 아니니 이래저래 불편한 것이 한두 가지가 아니다.

결국 우리가 일단 모두 내고, 민아가 자신이 먹는 비용과 자신의 침실 비용은 모두 적어 놓았다가 나중에 한꺼번에 계산하는 식으로 처리하기로 했다.

3. 늦은 밤 호텔을 찾아 헤매다.

일몰

이 호텔비는 우리가 35리라(25,000원) 민아가 15리라(10,000원)로 계산하라고 했다.

아마도 민아 입장에서는 도미토리나 유스 호스텔에서 숙박하는 비용밖에 안 되는 돈일 것이다.

4. 코앞의 섬이 그리스 영토라니?

2007.4.15 일

좋은 호텔에서 잘 자고 잘 먹고 아침에 배웅을 받으며 출발한다.

민아는 아이발륵 앞의 그리스 섬에 가보고 싶어 안달이다.

우리보고 같이 가보자고 계속 졸라댄다.

섬 이름은 레스보스(Lesbos)인데 레스비안이란 말이 이 섬에서 유래되었다고 한다. 곧, 로마시대에 궁중의 여인들이 이곳에 와 몰래 사랑을 나누었다나, 뭐라나!

민아가 이 섬에 가 보고 싶어 하는 이유는 우선 레즈비언이라는 말

아소스에서 아이발륵 가는 길

베흐람칼레: 아소스 유적

이 어찌 유래되었는지를 현장 시찰하고픈 마음도 있겠지만, 터키의 3개월 무비자 기간이 만료되어 이 기회에 그리스 섬에 들어갔다 나옴으로써 비자를 다시 연장하려는 목적이 더 큰 것이다.

원래는 비자 문제 때문에 다음 달 초에 불가리아를 다녀올 생각이었다는데, 코앞의 그리스 섬을 보니 마음이 바뀌어 욕심을 부리는 것이다.

그러나 그 섬에 들어가려면 페리 비용도 만만치 않은데다가 일정도 이틀 정도 더 연장될 수밖에 없어 숙박 비용이며 식사 비용이 꽤 들 것이므로 우리로서는 도저히 그 섬에 갔다 올 수가 없다. 역시 돈이 문제로다!

더욱이 그 섬에 별 관심도 없다. 레즈비언이란 말이 유래되었으면 되었지 그게 뭐 그리 대단하다고?

안 되긴 했지만 우리가 같이 가 줄 수는 없고 민아만 들어갔다 나와서 다시 만나면 되지 않을까 생각해 보라 했더니 호텔 총각에게 이것 저것 묻는다.

제일 가까운 섬은 보드룸에서 가 볼 수 있다는 말을 듣고 가려던 마음을 접는다.

아시아 쪽의 땅 덩어리는 모두 터키 영토인데, 코앞의 섬과 바다는 모두 그리스 영토라니 이해가 잘 가지 않는다.

허긴 바다 위에서 양을 키울 수는 없으니……. 이해는 가지만, 그리

베흐람칼레: 아소스 유적

4. 코앞의 섬이 그리스 영토라니?

베흐람칼레: 항구

스에 섬을 모두 내 준 것은 결코 잘한 일이 아니다. 계속 양만 키워 잡아먹을 수는 없는 일 아닌가?

그러나 나중에 안 일이지만, 일차세계대전 때 터키가 독일 편을 들었다가 독일이 패전국이 되는 바람에 터키가 지배하던 땅들을 모두 빼앗기게 되었다고 한다.

그래서 싸울 땐 편을 잘 들어야 한다. 그리고 지도자를 잘 두어야 한다.

그렇지만 그게 어찌 제 맘대로 되나?

결국 터키가 지배하던 루마니아, 불가리아, 마케도니아, 그리스, 시리아 등을 모두 독립시키고, 터키 제국은 졸아들어 유럽 쪽으로는 이스탄불을 포함한 땅 덩어리 쬐끔 하고, 아시아 쪽으로는 아나톨리아 반도로 국경선이 획정된 것이다.

이때 터키가 차지하고 있던 지중해의 모든 섬들은 그리스 영토로 편입시켰다 한다.

이는 물론 터키를 견제하기 위한 연합국의 짓이었다. 터키로서야 코앞의 섬을 뺏기고 싶었겠는가?

아래 지도를 보면 알 수 있듯이 에게 해의 섬들은 그리스 영토이다. 터키 영토는 노란색으로 표시되어 있어 흰색의 섬들이 그리스 영토임이 분명하게 드러나 있다.

바다 위에서 양을 키울 수 있느니 없느니 하면서 터키가 유목민족

터키 지도: 에게해의 섬들은 그리스 영토

4. 코앞의 섬이 그리스 영토라니?

이라 바다를 그리스에 내주었을 거라는 말을 한 것은 나 자신의 무식함을 드러낸 것일 뿐이다.

아이 창피!

그러나 여기에서 우리는 함부로 추측만 가지고 왈가왈부해서는 안 된다는 교훈을 얻는다.

여하튼 여행은 많은 것을 가르쳐 준다.

5. 세월이 흐르면 신전은 기둥만 남는다.

2007.4.15 일

베르가마(Bergama)에 들어서니 저 멀리 산위에 성이 있고 성벽들이 보이는데 분명 저것이 페르가몬 아크로폴리스(Pergamon Akropolis)일 것이다.

아소스 유적보다 더 크고 낫다는 느낌이 절로 든다.

점점 더 나아지고 있다.

보이는 성을 따라 차를 모는데 눈앞에 거대한 유적이 나타난다.

페르가몬 유적은 산 위에 있는 것 같았는데…….

표지판을 보니 바질리카(Bazilika)라고 쓰여 있고 괄호 안에 레드

바질리카

바질리카

바질리카

양귀비

홀(Redhall)이라 쓰여 있다.

아마도 붉은 벽돌 건물이라서 그런 모양이다.

그러니까 페르가몬 유적지 가기 전 도시에 있는 유적이다.

무너진 거대한 건물들의 잔해와 유물들이 우리를 맞는다.

무너진 건물터에는 양귀비꽃들이 지천이다.

꽃들은 너무 예쁘지만 유적 관리가 제대로 안 되고 있다는 느낌이다.

바삐 둘러보고 나와 화장실 쪽으로 가다보니 보도 옆 구석진 곳에서 무엇인가 눈에 뜨인다.

고슴도치이다.

5. 세월이 흐르면 신전은 기둥만 남는다.

어디가 아픈지 아니면 우리를 경계하는지 꿈쩍도 않고 있다.

고슴도치에겐 까치가 천적이라는데 까치 소리를 한 번 내볼까?

"까악, 까악……." 까치 소리가 나면 고슴도치는 바로 누워 버리죽거리고 꼼짝을 못한다는데…….

괜히 고슴도치를 괴롭힐 필요는 없을 것 같아 까치 소리를 내려다 그만 둔다.

페르가몬 아크로폴리스로 오르는 길은 산꼭대기라서 산 옆구리로 빙둘러 한참 가야 한다. 걸어가기에는 힘든 그런 길이다.

젊은 남녀 둘이서 걸어가는 것을 태워 줄 걸 그랬나 보다.

꽤 높은 산마루에 오르니 베르가마 시내가 한 눈에 보인다.

고슴도치

그렇지만 그보다는 옛 도시 페르가몬이 더 멋있는 것 같다.

우리 눈에 익숙한 것은 익숙하기 때문에 잘 보이지 않고 늘 보지 못했던 것이 더 멋있어 보이는 법이다.

그렇지만 그것도 몇 번 돌아보면 그저 그런 법이다.

유적지도 이와 같은 것 아닐까?

페르가몬 아크로폴리스는 선사시대부터 도시가 형성된 곳이다.

기원 전 3세기경에는 독립된 왕국으로서 농업과 은광, 가축, 양털 직조, 그리고 글씨 쓰는 양피지 산업을 통해 부를 축적하여 고도의 문화를 발전시켰으며 다른 그리스 도시들처럼 아크로폴리스가 있었기에 페르가몬 아크로폴리스라 부른다.

페르가몬

5. 세월이 흐르면 신전은 기둥만 남는다.

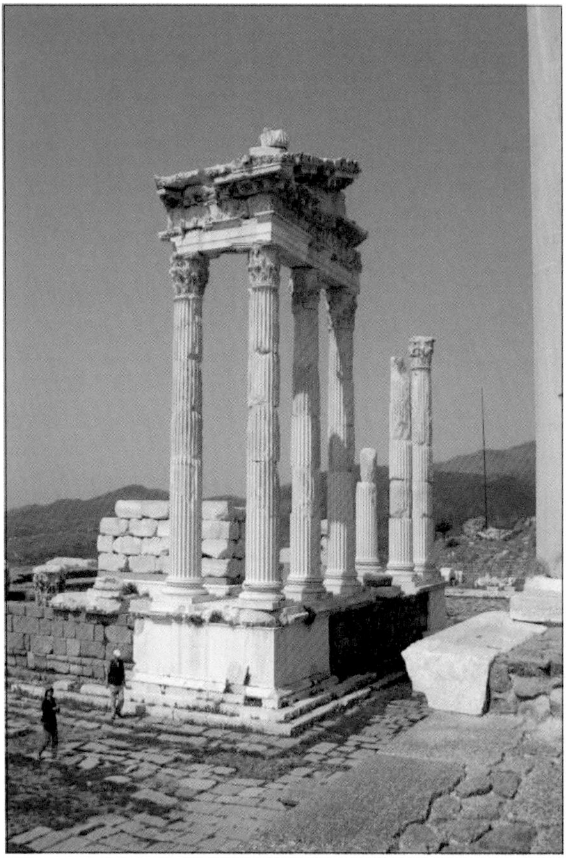

페르가몬 신전

기 원전 133년 이후 로마 제국에 복속되어 로마 제국 내 아시아주의 수도로 기능하였다.

페르가몬 아크로폴리스로 들어가니 이것도 옛날에는 산 위의 도시라서 생각보다 꽤 넓다.

아치형의 돌문도 있고 집터도 있으며, 기둥만 남았지만 신전도 있고 우물도 있다.

제일 인상에 남는 것은 역시 신전의 배흘림 양식의 기둥들이다.

이 산위에 어찌 이런 돌들을 날라서 깎아서 이런 신전을 세웠단 말

페르가몬 신전

인가?

사람이 죽으면 이름을 남기고, 호랑이가 죽으면 가죽을 남긴다더니, 세월이 흐르면 신전은 기둥만 남기는구나!

한 바퀴 도는 데도 꽤 시간이 걸린다.

5. 세월이 흐르면 신전은 기둥만 남는다.

6. 산비탈의 원형극장

2007.4.15 일

신전 끝 부분에는 성벽이 있고 그 밑으로는 낭떠러지인데, 낭떠러지 너머로 인공 호수가 보인다.

성벽 옆에는 나무가 몇 그루 서 있는데 나무 가지마다 종이나 헝겊을 묶어 놓았다.

샤머니즘적 요소가 남아 있는 것이리라.

대충 산꼭대기 지역을 위에서 한 바퀴 돌고 지하로 내려가 이것저것 구경한 다음 내려오는 길은 산비탈을 이용해 만든 거대한 원형 극장

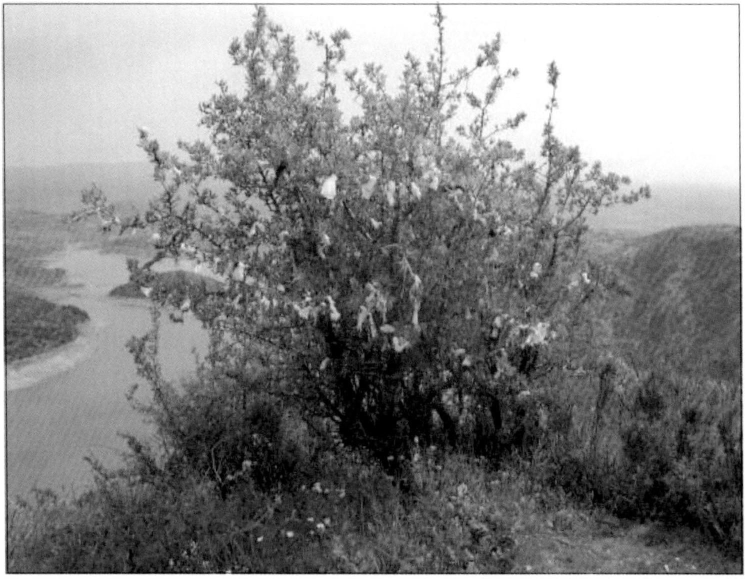

페르가몬: 샤머니즘 나무

이다.

이 원형 극장은 정말 기발하게 만든 것 같다. 산비탈의 경사를 이용하여 만들었는데 정말 크다.

인간의 지혜란!

사람이 자연을 이용한 대표적인 사례이다.

산비탈에 이러한 원형극장을 만든다니 보고 또 봐도 대단하다.

그 밑으로 내려오면 시장 터였던 모양인데--윗 시장(Upper Market)이라는 팻말이 붙어있다--이제 두 그루의 큰 나무들만이 버티고 서 있다.

페르가몬에서 내려와 시내로 들어서면서 아스클레피온 유적지 표시

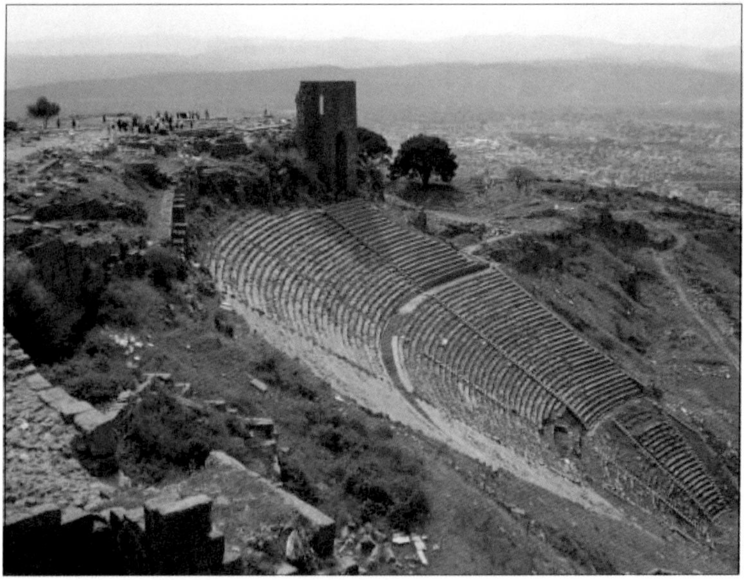

페르가몬의 원형극장

6. 산비탈의 원형극장

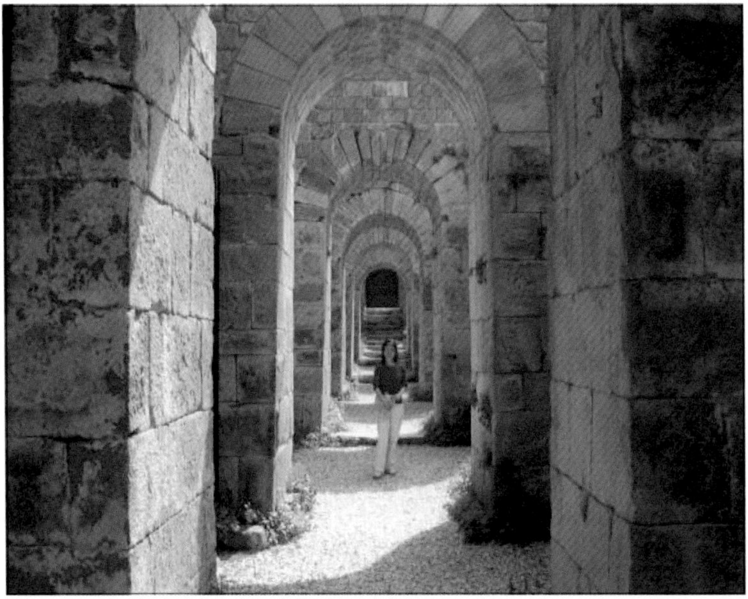

페르가몬: 방

를 발견한다.

차를 한쪽에 세워 놓고 물어보니 한쪽 길을 가리킨다.

골목길을 돌아가면 곧 나올 것 같은데 그것은 정말 오산이었다.

주내가 차를 몰고 따라와서 망정이지 걸어갈 길이 아니었다.

물어물어 가다보니 골목을 한참 지나 결국 군부대를 돌아서야 아스클레피온에 도착할 수 있었다.

멀리서 볼 때에는 별 거 없는 거 같았는데 들어와 보니 여기도 볼 만하다.

이곳저곳으로 구경하며 다니는데 유적 사이의 폐허에서 동네 아이들

아스클레피온: 혼성 축구팀

이 축구를 하다가 쫓아와서는 사진을 찍어 달라고 조른다.

그러자고 사진기를 들었더니 저쪽에 앉아 응원하던 아줌마까지 부르는 것 아닌가!

젖먹이 애기까지 끌어안고 달려오는 아줌마, 축구하던 아이들, 그리고 아이들보다는 나이를 좀 더 먹은 청년 이렇게 모여 사진기 앞에서 포즈를 잡는다.

완전 혼성팀이다.

사진을 찍어도 자기들이 가지는 것도 아닌데 사진 찍히기를 참 좋아한다.

아스클레피온은 옛날 로마 시대의 병원이었다는데 역시 이곳에도 원형극장이 있고 신전 기둥들이 있고 테라스가 있고 집터가 있다.

그렇지만 아스클레피온은 땅 위보다 땅 밑이 더 멋있다.

지하 통로를 따라 내려가다 보면 방들이 나타나는데 그 배치가 참으로 아기자기하다.

벌써 점심시간이 지났다.

밖으로 나와 식당을 찾다가 큰길 맞은편에 식당을 발견하여 유턴하여 그곳으로 갔는데 관광버스가 한 대 서 있다.

보니 한글로 써 있는 것이 한국관광객이 분명하다.

식당으로 들어가니 저쪽 편에 한국 아줌마들이 모여 있다.

뷔페 음식인데 음식은 맛이 있다.

아스클레피온의 지하도

페르가몬 / 아스클레피온

점심을 잘 먹었다.

이제 이즈밀로 가야 한다.

큰 길을 따라 달려가는데 금방 이즈밀로 연결된다.

정말 큰 도시이다.

옛 이름은 서머나로 기원전 3000년 전부터 형성된 항구도시로서 11세기에는 에페수스와 함께 고도의 이오니아 문명을 발달시킨 곳이라는데 폴리캅 기념교회, 아고라, 고고학박물관 등 몇 가지 볼거리가 있다, 그렇지만 어찌나 차들이 빨리 달리는지 정신이 없다.

더욱이 들어선 길은 해안가 고속도로 비슷한 거여서 외길이라 출구를 놓치면 그냥 갈 수밖에 없다.

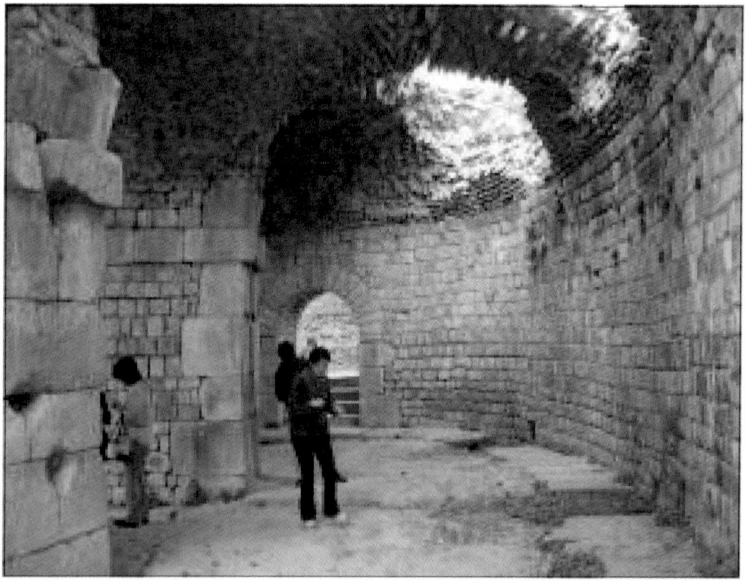

아스클레피온: 지하 방

6. 산비탈의 원형극장

폐허 위의 아스클레피온 유적

우리 인생에서도 기회를 놓치면 그냥 가야 하는 수밖에 없는 것처럼.

길거리 표지판에서 서머나 표시만 찾는데 그것은 안 나오고 밤색 바탕의 관광 표지판을 보았는데 그것이 그것인줄을 모르고 지나쳤으니 그냥 가는 수밖에 없다.

다시 관광 안내 표지가 나오나 했더니 나타나지 않는다.

터키에서 세 번째로 큰 도시라는데 산위부터 산밑에까지 마치 병풍을 에두른 것처럼 집들이 빽빽하다.

그냥 길을 따라 달리다보니 이제는 꼼짝달싹도 못하게 유료 고속도로로 들어섰다.

아스클레피온 유적: 기둥들

멀리서 돈 받는 곳이 보이니 말이다.

그렇게 이즈밀은 우리 눈에서 사라졌다.

6. 산비탈의 원형극장

7. 성 요한 성당에는 두루미가 산다.

2007.4.15 일

고속도로로 약 80km쯤 달렸을까 성경에 에베소(Efes)라 쓰여 있는 셀죽에 당도한다.

에베소는 기원 전 2천년부터 항구도시로 발전하였는데 기원 후 4세기경에 소아시아의 기독교 중심지가 된 곳이다.

이곳에는 고대 7대불가사의 중의 하나라는 아르테미스 신전, 2만 4천 명이 들어갈 수 있는 대형 야외 원형극장, 바닥이 대리석으로 덮여 있는 알카디안 가도, 에베소의 도서관인 셀수스 도서관, 성 요한 바실리

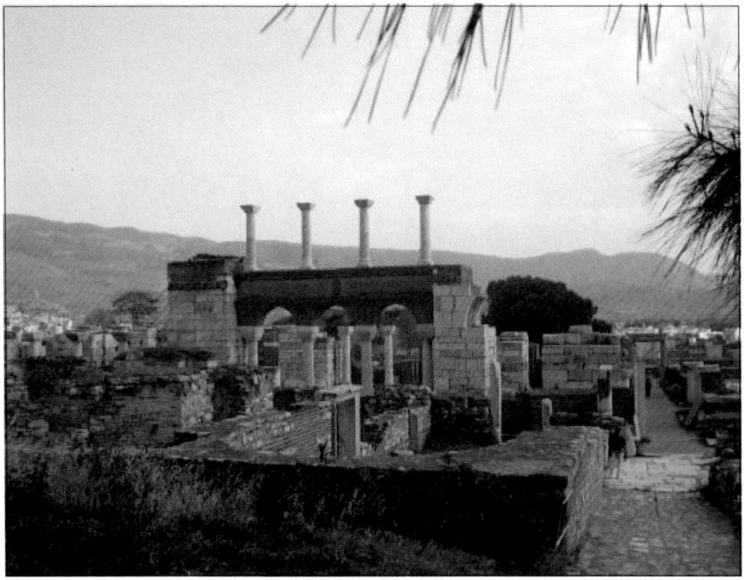

성 요한 교회

카 성당, 성모 마리아가 살던 집 등 그야말로 볼거리가 많은 곳이다.

셀죽으로 들어서기 전 산등성이에 산성이 보인다.

그렇지만 이 산성은 에베소 유적이 아니다.

가다보니 성 요한(Saint Jean)이라는 관광 표지가 보인다.

아마도 요한 바실리카 성당인 모양이다.

표지판을 따라 올라가서 차를 세운다.

주차장 앞의 언덕에는 꽃들이 한창이다.

성당 문 앞의 설명판에 의하면 예수님께서 사랑하시던 제자 요한은 노년에 에베소에서 지냈고 이곳에서 요한복음을 기록한 후 죽었으며, 요한의 무덤이 있는 이곳에 비잔틴의 유스티니아누스 황제가 큰 교회를

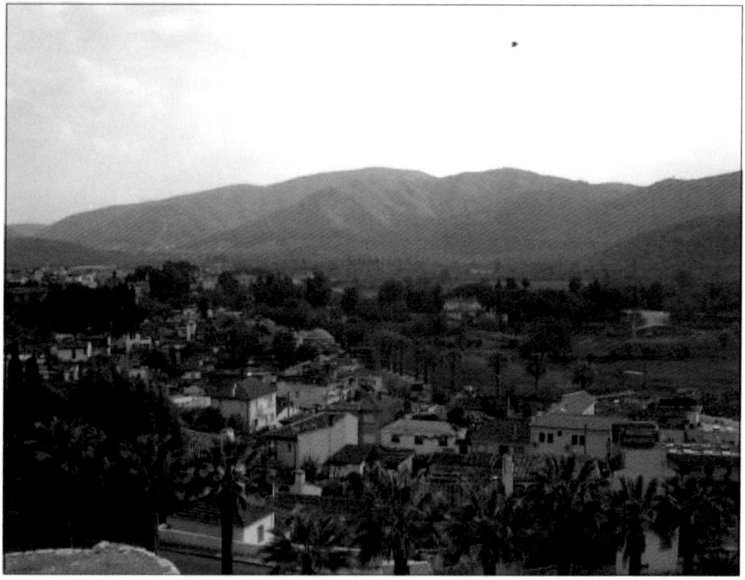

성 요한 교회에서 본 셀죽 시내

7. 성 요한 성당에는 두루미가 산다.

성 요한 교회

세웠는데 이것이 요한 바실리카 성당이다.

교회 앞 들어가는 입구에서 사진을 찍는데 어떤 아저씨가 구두 닦으라고 성화다.

우리는 운동화를 신고 있는데 한사코 운동화를 닦으란다.

한 켤레 당 5리라(3,500원)라든가 하던 것이 두 켤레에 3리라로 내려갔다.

운동화도 닦는다면서 허연 것으로 문질러 준다.

옆에서 보고 있던 동전 파는 아저씨가 이제는 동전을 사라고 한다.

"이 동전 여기서 발굴된 건데, 이거 진짜 유물이다."

"안 산다."

“내가 여기서 발굴할 때 일했는데 돈 너무 조금 줘서 슬쩍 한 거다.”

“그러면 되냐?”

“왜, 안 되냐? 돈 조금 주니까……. 우리도 살아야 한다. 이거 세 개에 20리라 내라.”

“안 한다.”

“그럼 10리라만 내라.”

책에 보면, 이런 곳에선 으레 이런 사람이 있기 마련이란다.

가짜 동전을 유물이라고 파는 사람들 말이다.

워낙 귀찮게 구는 그 정성이 갸륵하다.

성 요한 교회

7. 성 요한 성당에는 두루미가 산다.

"5리라 줄께"

"안 된다. 10리라 내야 한다."

"그럼 그만 둬라."

"알았다. 5리라 내라."

"아니 여보, 당신은, 그거 가짠 줄 알면서 왜 사요?"

"가짜지만 기념이 될 거 같아서."

5리라 받아 들고 너무 좋아 한다.

요한 교회에 거주하는 두루미

요한 교회에 거주하는 두루미

가엾은 사람들이다.

요한 교회는 생각보다 웅장하고 크다.

교회 안으로 들어가며 보니 들어가는 문 위에는 두루미 한 쌍이 둥지를 틀었는지 두 마리가 엇갈려 서 있다.

세례받던 곳

모자이크 바닥

모자이크 바닥

이놈들이 주민등록이나 제대로 하고 사는가?

괜한 의심이다. 하느님의 빽으로 산다는데…….

교회 안에는 요한의 무덤도 있고, 세례받는 곳도 있고, 방도 있고, 내원도 있다.

그런데 지붕은 어디가고 기둥만 남았는고?

밖으로 나오면서 바닥을 보니까 옛날에 모자이크한 무늬가 반쯤은 벗겨나가고 반쯤은 남아 있는데 화려하고 예쁘다.

교회 바깥으로는 모스크가 있다.

이사베이 자미(İsa bey Camii)인데, 교회

7. 성 요한 성당에는 두루미가 산다.

이사베이 자미의 기둥

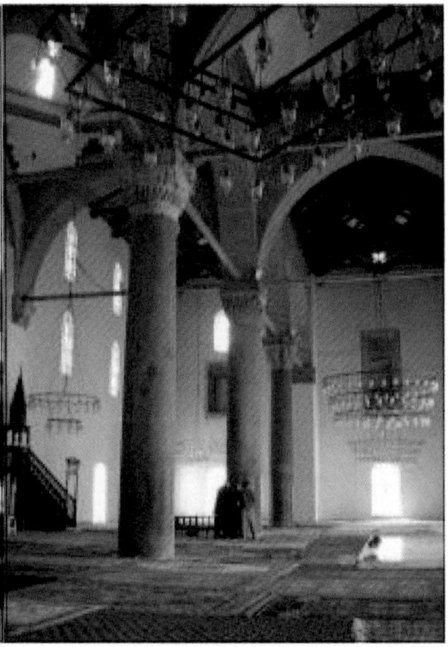

이사베이 자미의 기둥

바깥으로 나와 오른쪽으로 야자수들이 늘어서 있고 그 길을 따라 조금 가면 이 모스크가 나온다.

이 모스크 안으로 들어가면 지금은 내원이지만 옛날에는 천정이 덮여있었던 것을 보여주는 기둥들만 남아 있고, 나머지 약 1/3쯤은 천정이 덮여있는데 모스크로 쓰고 있다.

그 안에 들어가 보니 기둥들이 바깥에서 본 것과 흡사하다.

교회와 모스크를 보고 나서 책에 쓰여 있던 캔버러 호텔(Canberra Hotel)을 물어보니 마침 자기 사촌이 하는 호텔이라며 안내해주겠다 한다.

어제 호텔보단 조금 못하지만 5층 건물에 방도 깨끗하고 괜찮다.

8. 누가 잠들어 있을까?

2007.4.16 월

아침 일찍 호텔을 나서 에베소 유적을 보러 차를 몬다.

표지판을 보고 들어갔더니 오른쪽은 에베소, 왼쪽은 7인의 잠든 사람들(Seven Sleepers) 이라고 표시된 표지판이 있다.

일단 '7인의 잠든 사람들'이 누구인지 궁금하니 그것부터 보고 에베소 유적을 보자 하여 '7인의 잠든 사람들'로 향한다.

가보니 산등성이 암벽에 굴도 있고 그 앞에 흙벽돌로 집을 지어 놓은 곳인데 아마도 7인의 기독교인이 숨어 살다 죽은 곳인 모양이다.

7인의 잠든 사람들

양귀비

물론 유적이니까 지붕은 없고--유적치고 지붕 있는 유적은 거의 없다--석관과 옆 벽면에 관을 넣을 수 있도록 감실이 파여 있다.

들어가는 문은 철망으로 만들어 놓았는데 종이 접은 것이 잔뜩 붙어 있다.

그 앞의 나무에도 역시 종이 접은 것이 잔뜩 붙어 있다.

샤머니즘이 남아 있는 것이다.

특별히 볼 만한 것은 없는 셈이다. 그렇지만 안 보면 궁금한 것이다.

밖으로 나와 에베소로 가는 길을 따라 가니 길 좌우에 그야말로 양귀비 천지다.

에베소

양귀비는 정말 예뻤을 것이다.

종잇장처럼 얇은 꽃잎에 새카만 암술이며 바람에 흔들거리는 게 이렇게 교태로운데, 정말 사람 양귀비도 그랬을 성싶다.

아무리 그래도 그렇지 며느리를 빼앗아 마누라로 삼아? 당 현종이 영웅이라고? 고얀 놈이지.

왜 갑자기 당 현종이 여기에 등장하나?

이해하시라!

양귀비 꽃을 보니 사람 양귀비가 눈에 선하고, 양귀비의 팔자를 생각하니 고약한 당 현종이 나올 수밖에!

여하튼 에베소 표시를 보고 따라가니 좌우에 상점들이 많이 나타난

7인의 잠든 사람들

8. 누가 잠들어 있을까?

누가의 묘

다.

왼쪽 편에 주차장이 있어 차를 세우고 내려 보니 한글로 〈누가의 묘〉라는 설명판이 서 있다.

누가가 누구인가? 누가복음과 사도행전을 쓴 그 누가이다.

설명에는 이오니아 양식을 따라 사방 16개의 기둥을 세워 16미터의 길이로 건축된 것으로서 로마시대에는 무명용사의 신전으로 사용되던 것인데, 나중에 1860년에 영국 고고학자인 우드(T. J. Wood)에 의해 십자가 모양이 그려진 비석을 보고 누가의 묘로 판명되었다고 한다.

설명과는 달리 기둥들은 안 보이고 그냥 돌로 만든 무덤처럼 생겼는데 세월이 많이 흘러서인지 노란 꽃대가 많이도 올라와 있다.

9. 아침마다 이곳에 앉아 무슨 이야기를 나누었을까?

2007.4.16 월

누가의 묘 맞은편이 에베소 들어가는 입구이다.

역시 입구에는 에베소에 대한 설명이 적혀 있다.

에베소는 기원 전 6000년부터 사람이 살기 시작했고, 그리스 시대에는 철학자인 탈레스와 헤라클리크가 활동한 곳이라 한다.

기원 전 190년부터 에베소는 로마의 지배를 받게 되었는데, 소아시아 서부 지역에서 상업과 무역의 중심지가 되어 정치적 경제적 번성기를 맞이하였고 당시 인구는 20만 명이 넘었다 한다.

에베소 유적

9. 누가 이곳에 앉아 무슨 이야기를 나누었을까?

에베소 유적

에베소로 들어서자 거대한 도시 유적이 나타나기 시작했는데 그 규모가 어마어마하다.

지금까지 보았던 그리스 로마 유적들은 에베소에 비하면 아무 것도 아니다.

완전히 하나의 큰 도시이다.

만약 시간이 없는데 터키에 와 그리스 로마 유적을 보려면 에베소만 보면 될 거 같다.

무너진 커다란 돌기둥들을 통과하며 좌우의 유적들을 보면서 가는데 그 유명세만큼 사람들도 무지하게 많다.

한국 관광객은 물론이고, 일본 관광객도 있고, 터키 관광객도 있다.

에베소: 사람도 많아!

사람들에 떠밀리면서 걸어가며 구경을 하는데 오른쪽으로 산비탈에 원형극장이 보인다.

크기는 크지만 저것이 2만 4천명이 들어가는 원형극장인가?

별로 그렇게 보이지는 않는데…….

민아에게는 30분 후에 입구에서 만나기로 했으나 30분 가지고는 어림도 없다.

제대로 보려면 아마도 적어도 3시간은 보아야 할 것이다. 그것을 3 0분이라 했으니…….

역시 모르면 그런 우를 범하는 것이다.

어찌되었든 지나 내나 30분 가지고는 어림도 없다는 것을 알 테니

9. 누가 이곳에 앉아 무슨 이야기를 나누었을까?

미련하게 30분 되었다고 입구로 되돌아가지는 않을 것이다.

원형극장에서 나와 사람에 치어가면서 걸어가는데, 이번엔 커다란 돌기둥들이 좌우에 서 있다.

무덤처럼 벽돌로 만든 집도 있고 계단도 있고, 그 속으로 들어가 보고 사진도 찍고, 나와서는 또 다른 데로 가보고 그러면서 걷는데 다리가 아프다.

워낙 볼거리가 많으니 어디가 어디인지도 모르고 그냥 눈요기만 하고 간다.

물론 설명이 붙어 있으나 그걸 읽고 해석하고 감상하다간 날 샐 것이다.

에베소 유적: 신전

가다보니 벽에 새긴 무늬며 지붕 밑에 새긴 사람들 조각이며 신전이며 특별히 눈을 끄는 것들이 없는 것은 아니되, 워낙 방대하니 여하튼 무척 바쁘다.

그 가운데 가장 이해하기 쉽고, 특별히 관심을 끄는 곳이 옛날에 쓰던 공중변소다.

오른쪽 집들 사이에 들어가면 나타나는데, 방의 벽 밑으로 변기가 나란히 배열되어 있다.

그 밑으로는 하수가 흐르도록 설계되어 있다. 일종의 수세식이다.

옛날에는 하인이 미리 와서 앉아 주인을 위해 체온으로 변기를 덥혀 놓았다 한다. 거 참!

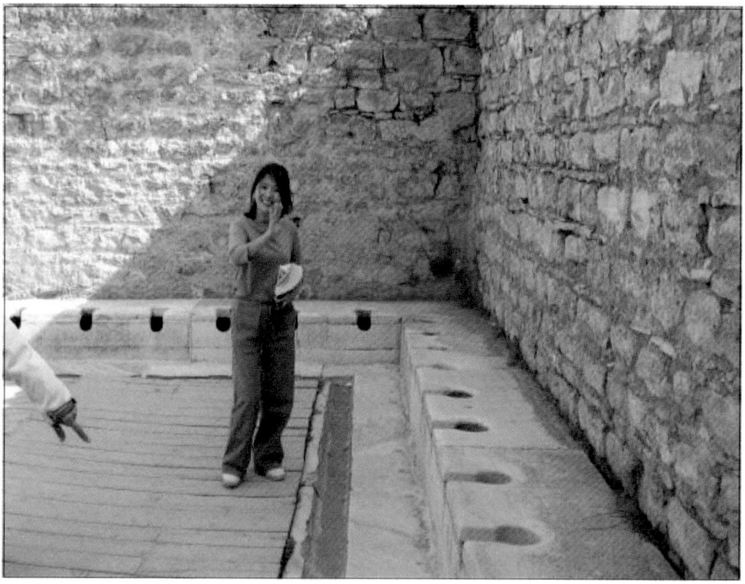

에베소: 공동변소

9. 누가 이곳에 앉아 무슨 이야기를 나누었을까?

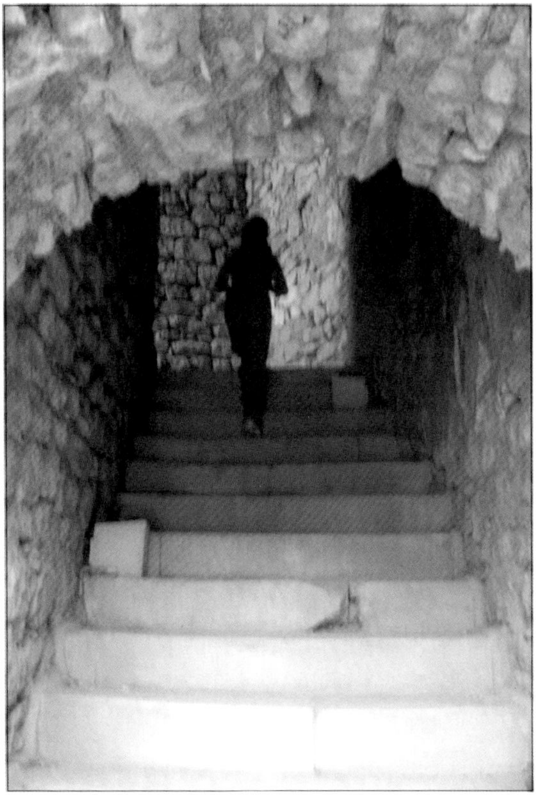

에베소 유적

또한 그 앞에는 대리석에 홈이 패여 있어 물이 흐르도록 설계되어 있다.

이 물에 손발과 엉덩이를 씻었다니!

물이 흐르도록 되어 있어 상류에 있는 변기일수록 값이 비쌌다 한다. 그럴 수밖에!

그 이유는 현명한 독자분들이 상상하시라! 힌트를 드리자면, 물은 언제나 위에서 아래로 흐른다는 진리에 있다.

그런데 옛날에는 아침마다 이곳에 나란히 앉아 큰일 보면서, 서로 무슨 이야길 나누었을까?

참으로 궁금하다.

잠시 변기에 앉아 사진을 찍는다.

에베소 유적

사람들이 와! 하고 웃는다.

자기들도 늘 하는 일이면서!

사람들이란 참으로 위선 덩어리다.

스스로 선악과 미추를 구분해 놓고는 그것에 맞추어, 이것은 나쁜 것 저것은 좋은 것이라며 세상을 보는 것이다.

그러나 세상은 인간이 나쁘다고 규정해 놓은 것도 다 필요한 것이고 모두 중요한 것이다.

예컨대, 똥 누는 것도 중요하고, 변소도 필요한 것 아닌가?

그런데도 불구하고 왜 똥 누는 것을 대변을 본다고 표현해야 점잖다 하고, 누구나 변소는 가면서도 그것을 입에 담는 건 기피해야 하며,

9. 누가 이곳에 앉아 무슨 이야기를 나누었을까?

이런 유적에서 옛사람의 변기에 앉아 사진을 찍으면 우스개가 되는가?

왜 그럴까?

사람들은 자신의 말과 행동을 도덕과 윤리라는 틀을 가지고는 교묘하게 포장해 놓는 데 너무 익숙해진 것이다.

사람이란 동물은 위선을 그럴듯하게 포장하는 참으로 묘한 재주를 가지고 있는 것이다.

어렸을 적부터 그런 위선에 자기 최면을 걸어왔기에, 칼 구스타프 융이 말하는 집단적 무의식 속에 그러한 관념이 형성된 것은 아닐까?

10. 발바닥 작은 놈, 서러워 살겠나?

2007.4.16 월

밖으로 나와 다시 가다보니 아마도 이 길이 대리석 바닥으로 된 알카디안 가도인 모양이다.

이 도로 왼쪽으로는 바닥이 모자이크로 처리된 인도가 있고 그 너머엔 부서진 집들이 있는데 상가였다고 한다.

모자이크로 처리된 인도의 무늬는 오늘날 백화점의 바닥 무늬에 견주어도 손색이 없을 정도로 훌륭하다.

조금 더 나아가니 굉장히 큰 이층 건물의 기둥들이 나타난다.

에베소: 알카디안 가도

에베소: 모자이크 길

물론 지붕은 없다.

에베소의 도서관인 셀수스 도서관이다.

왜 이 건물을 책에 소개해 놓았는지 그 이유를 알만하다.

시원하게 쭉 뻗은 기둥들과 기둥 너머로 보존되어 있는 거대한 크기의 벽, 그리고 그 안에는 넓은 홀과 함께 벽면에는 푹 파여 있는 감실들!

이 감실들은 아마도 책을 보관해 둔 곳인가 싶다.

여하튼 근사하다.

그런데 재미있는 것은 이 도서관 지하에 있는 통로에는 창녀들이 있었다고 한다.

책을 보고 공부하다가 지겨우면 슬며시 밑으로 내려가 재미를 보고 온다!

참 훌륭한(?) 발상이다. 그래야 머리도 산뜻해지고 공부가 지겹지 않지 않을까?

어쩌면, 지하통로만 생각이 나 공부도 못했을 거라고?

그렇진 않았을 거다.

아무리 맛있는 거도 계속 먹을 수 없는 것처럼, 밑에서 실컷 놀다보면 이제는 공부가 저절로 하고 싶어질 테니 말이다.

어찌되었든 지하로 내려가려면, 반드시 내려갈 수 있는 자격이 있어야 하는데, 그것이 뭔가 하니 발바닥 크기이다.

지하통로 입구에 발바닥 그림을 그려놓고 약간 움푹 패여 놓았는데, 이보다 작으면 들어갈 수 없었다고 한다.

이 사람들이 요런 장치를 해 놓은 것은 물론 미성년자를 보호하기 위한 것이리라.

당시에도 발바닥은 신체 크기에 비례하고 신체 발달은 나이에 비례하는 것이라는 진리를 알고 있었기 때문이다.

그렇지만 어른인데도 발바닥이 작은 사람은 어찌했냐고?

물론 못 들어가지.

발바닥이 작다는 것은 몸이 작다는 증거이고, 그러면 그것도 작을 터이고, 그러면 누가 좋아하나?

이거 참 발바닥 작은 놈 서러워서 살겠나!

발바닥 작은 사람은 발바닥 큰 놈들을 부러워하면서도, 그냥 도서관에서 책이나 보는 수밖에 다른 방법이 없었다.

10. 발바닥 작은 놈, 서러워 살겠나?

에베소: 셀수스 도서관

그래서 그 당시 고시에 패스한 사람들은 거의 발바닥 작은 사람들이라는 데……. 믿거나 말거나.

그런데, 그렇게 엄격한 심사를 거쳐 지하 통로로 들어가더라도 학식이 없으면 선택을 못 받았다고 한다. 왜냐면 선택권은 창녀에게 있었으니까 말이다.

당시의 창녀들은 우리나라의 기생처럼 학식이 뛰어난 지식인들이었기에 이들의 구술시험에 통과해야 운우지락을 누릴 수 있었던 거다.

물론 돈은 남자가 내지만…….

그러니 발바닥 큰 놈도 어느 정도는 열심히 해서 시 나부랭이 정도는 읊을 수 있어야 창녀들의 선택을 받았다 한다.

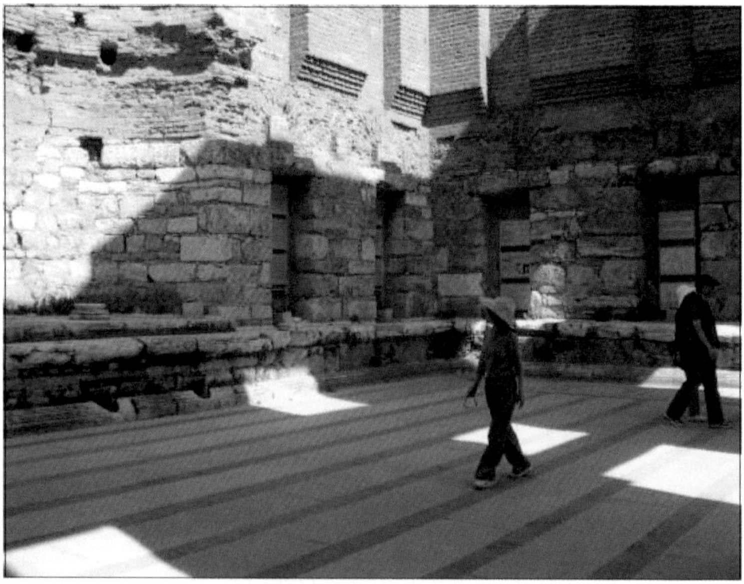

에베소: 셀수스 도서관 내부

10. 발바닥 작은 놈, 서러워 살겠나?

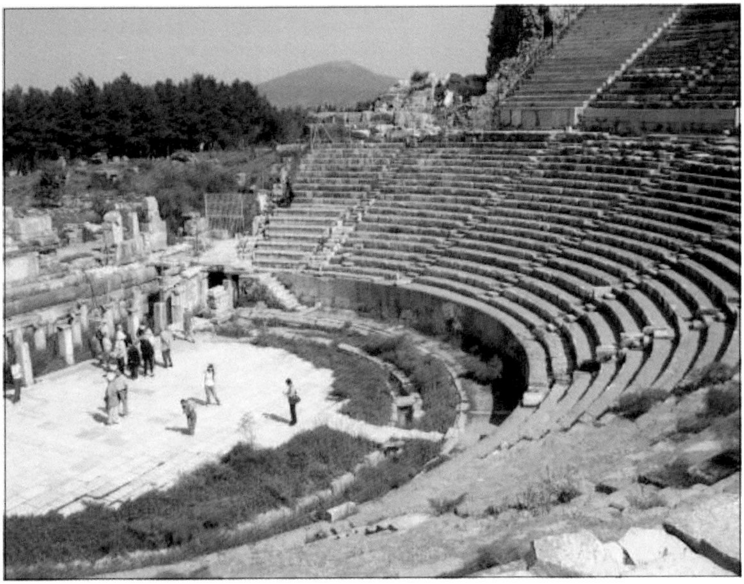

에베소: 세계 최대의 야외 원형극장

그러니 전혀 공부를 안 하고 놀 수는 없었을 거다.

도서관을 나와 다시 길을 따라 가면 이제는 기둥들만 잔뜩 서 있는 곳이 나오고 다시 3-400미터 가면 오른쪽으로 극장이 있다는 표지판이 나오는데, 표지판 뒤로는 양귀비가 꽃밭을 이루고 있다.

극장 표지판을 따라 들어갔더니 입구는 굴을 통과하도록 되어 있다.

아마도 옛날에 이곳에서 표를 검사했을 것이다.

굴을 지나자 정말로 거대한 원형 극장이 나타난다.

24,000명이 아니라 24만 명도 들어갈 것 같은 정말로 거대한 야외 원형극장이다.

그 당시 에베소 인구가 20만 명이 넘었다는데 이곳에 전부 집합시

에베소 또다른 입구

켜 놓아도 될 것 같다.

산비탈을 이용해 좌석을 만들어 놓았는데 정말 대단하다. 무대와 무대 뒤 건물도 지붕은 없지만 대단하고.

원형극장에서 나와 다시 길을 따라 내려가면 지금은 풀밭으로 변했지만 유적들이 듬성듬성 서 있는 넓은 터가 나타나고 다시 좌로 꺾어 한참 가면 에베소의 또 다른 입구가 나온다.

아까 '7인의 잠자는 사람들' 표지판과 같이 서 있던 에베소 표지판이 가리키는 곳이 이곳인 모양이다.

관광버스 타고 온 사람들은 아까 누가의 묘 쪽에서 죽 걸어 나와 이곳으로 나가면 관광버스가 와서 기다리고 있을 것이나,

10. 발바닥 작은 놈, 서러워 살겠나?

우리 차는 누가의 묘 주차장에 세웠으니 다시 돌아가야 한다.

그렇지만 다시 돌아가면서 못 본 것들을 다시 돌아보고 본 것들을 반추할 수 있으니 그 얼마나 다행인가!

다리한테는 좀 미안한 일이지만…….

여하튼 이런 거대한 유적은 정말 인류의 보물이라는 생각이 든다.

11. 성모 마리아가 '휘익~'하고 승천하신 곳

2007.4.16 월

다시 머나먼 길을 걸어 차 있는 곳으로 돌아와서 표지판에서 본 성모 마리아가 살던 곳을 물어보니 저 산 위쪽으로 더 올라가야 한다고 한다.

그러면, "여기서 성모 마리아가 사시다가 언제 돌아가셨느냐?"고 묻자 정색을 하면서 손을 휘저으며, "성모 마리아께서는 돌아가신 게 아니라, 휘익~ 하고 하늘로 승천하셨다."면서, 휘파람 소리를 내고는 손가락으로 하늘을 가리킨다.

우리가 웃자, "정말이다. 코란에 그렇게 쓰여 있다. 휘익~하고……." 라고 한다.

웃지도 않고, 진실로 그렇게 믿는 눈치이다.

이슬람교는 본디 배타적이지 않다.

구약과 코란을 믿고, 예수나 마리아도 존경한다.

반면에 기독교 특히 개신교는 배타적인 종교이다.

어찌되었든, 성모 마리아는 사랑하던 아들이 못 박혀 돌아가시니 얼마나 가슴이 미어졌을까?

모든 시름을 안고 이곳에서 여생을 보내셨다니 그분이 사시던 곳은 보고 가야 하지 않겠는가?

게다가 자동차도 있지 않은가!

산 쪽으로 올라가는 길가에는 검은 돌로 된 성모 마리아 상이 서 있다.

성모 마리아 상

산꼭대기에 이르자 갑자기 매표소가 나타난다.

돈을 받는 곳인데 여기에서는 학생 할인이 안 된다 한다.

지금까지는 교수 신분증을 잘 써먹었는데……. 여기에서는 젖먹이까지도 돈을 받는다고 한다.

터키 정부에서 운영하는 것 같은데 돈을 내야 들여보내 준다니 어쩔 수 없다.

일인당 10.75리라(7,500원)니 싼 가격도 아니다.

민아는 독실한 가톨릭 신자이니 돈이 아무리 비싸도 들어가야 한다는 것이고, 우리도 여기까지 올라왔는데 안 들어갈 수야 있겠는가!

비록 성모 마리아를 팔아 돈을 버는 것 같아 기분이 찜찜하나 안 보면 보고 싶은 게 사람 마음이니…….

이곳에도 터키 한인회가 만들어 놓은 안내판이 있는데, 그 내용을 요약하면 다음과 같다.

예수님이 돌아가시기 전 제자인 요한에게 성모 마리아를 모실 것을 부탁하셨다는데, 요한이 성모 마리아를 모시고 이곳으로 와 집을 한 채 지어드렸다 한다.

이러한 말이 전승되고 이곳은 오랫동안 잊혀 졌는데 1878년 독일 수녀 캐더린 에메리히가 꿈 속에서 계시 받은 내용을 〈성모 마리아의 생애〉라는 책으로 펴냈는데, 이 책속에 성모마리아의 집 위치가 기록되어 있다.

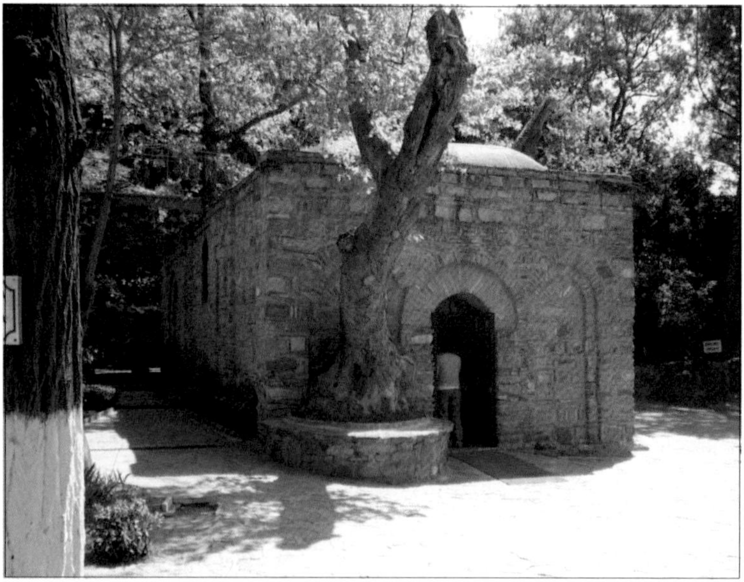

성모 마리아의 집

11. 성모 마리아가 '휘익~'하고 승천하신 곳

성모 마리아의 집터

이 수녀는 자기가 태어난 고장을 한 번도 떠난 일이 없었다 한다.

1891년 나사렛 신부가 탐사반을 조직하여 이 집을 발견하게 되는데 집터 모양이 캐더린이 계시 받아 기록한 모양과 정확히 일치하였다 한다.

1961년 교황 요한 23세는 이곳을 성지로 공식 선포하였다.

민아 말에 따르면, 가톨릭에서는 이곳을 예루살렘보다 더 중요한 성지로 삼을 거라 한다.

돈을 내고 들어가 차를 세우고 보니 좌우에 가게가 몇 개 있고 그 사이로 죽 길이 나 있다.

길을 따라 가 보니 빈터가 하나 나타나고 빈터 저쪽 산기슭 쪽으로

성모 마리아의 집 수조: 세례 받던 곳

성모 마리아의 집 손 씻는 샘

11. 성모 마리아가 '휘익~'하고 승천하신 곳

흙벽돌로 된 유적이 남아있고 빈 터 가운데에는 세례 받는 데 사용한 것으로 보이는 욕탕 같은 것이 있다.

그리고 조금 더 가니 "성처녀 마리아의 집"이 있었던 곳이라는 팻말 하나만 덩그러니 나무 밑에 세워 놓았다.

그 밖에 그 팻말 뒤로는 벽돌로 지은 기도소가 있을 뿐이다.

기도소를 지나 나와서 내려오는 길로 돌아 나오는 데에는 손 씻는 샘이 있고, 그 옆 벽면에는 소원을 비는 종이와 헝겊 등을 잔뜩 매어단 철망이 있을 뿐이다.

이런 것은 일본에서 많이 볼 수 있는 것으로서 역시 샤머니즘 요소가 기독신앙과 결부된 것인 모양이다.

이제 점심시간도 한참 지났으므로 비싸던 싸던 점심은 이곳에서 해

성모 마리아의 집: 소원 비는 판

결하기로 했다.

숲이 잘 우거져 있는 탁자에 앉으니 너무 추워 다시 식당 안쪽으로 자리를 옮기고 점심을 시켰는데, 그렇게 비싸지도 않고, 맥주도 팔고, 맛도 좋다.

성모 마리아가 사시던 곳을 와 보았으나 점심을 잘 먹었다는 것 밖에 별로 남는 것은 없다.

그러니 돈을 많이 받을 이유는 딱 한 가지, 장삿속이라고밖에 생각이 안 든다.

보존할 유물도 유적도 너무나 단순하니까 말이다.

다시 산을 내려오다 보니 저 멀리 셀축 시가지가 눈 아래 펼쳐진다.

11. 성모 마리아가 '휘익~'하고 승천하신 곳

12. 고대 7대 불가사의?: 아르테미스 신전

2007.4.16 월

산을 내려와 어제 잤던 호텔 앞에서 얼마 안 떨어진 아르테미스 여신 신전으로 간다.

그냥 지나치려다가 그래도 고대 7대 불가사의 중의 하나라는데 시간이 없어도 보고는 가야 할 것이다.

입장료를 내고 신전으로 들어서니 남아 있는 것은 오로지 하나의 돌기둥뿐이다.

불가사의의 실체가 이런 것인가!

아르테미스 여신 신전

못으로 바뀐 아르테미스 신전

영화로운 신전 터의 일부분은 완전히 못으로 바뀌고, 나머지 일부에도 신전의 잔해와 물과 잡초가 무성하다.

이것이 세월의 힘인가?

세월이 흐르면 모든 게 바뀌는 법이긴 하지만 우찌 이런 일이!

상전벽해(桑田碧海)라는 말은 이제 이곳에선 신전벽지(神殿壁池)로 바뀌어야 한다.

남아 있는 돌기둥 꼭대기에는 두루미 한 마리가 둥지를 틀고 있어 눈길을 끈다.

어떻게 지었기에 고대 7대 불가사의 중의 하나로 꼽혔을까?

고대 7대 불가사의 중의 하나였다는 화려하던 아르테미스 여신의 집이 이제 두루미 집으로 그 주인이 바뀐 것이다.

그나저나 저놈들은 등기나 제대로 하고 사는 건지, 그것이 궁금하다.

참, 별게 다 궁금하다.

여행을 하다 보면 뭐가 어떻게 되는 모양이다. 쓸데없는 생각이나 하고…….

세월이 흐르면 모든 게 바뀌는 법이긴 하지만 상전벽해라는 말이 실감이 난다.

별로 볼품없이 변했지만 그래도 그냥 들리기 잘했다.

안 들렸으면 얼마나 궁금했을까? 7대 불가사의 중 하나라는데…….

두루미 집

쿠샤다스 풍경

이제 마음 놓고 쿠샤다스(Kuşadası)로 간다.

쿠샤다스는 아름다운 곳이다.

경치 좋은 항구도시인데 휴양지로도 알려져 있는 곳이다.

그러나 쿠샤다스에서 놀고 가는 것은 아니고 지나면서 그냥 사진만 찍고 통과한다.

오늘 갈 길이 멀기 때문이다.

12. 고대 7대 불가사의: 아르테미스 신전

13. 거북아, 거북아 고개를 내밀어라

2007.4.16 월

쿠사다스를 지났으니 이제 515번 도로를 타고 계속 남하하면 될 것이다.

딜레크-야르마다시(Dilek-Yarmadsi) 국립공원을 거쳐 프리에네(Priene) 유적과 밀레투스(Milet) 유적을 보고 디딤(idim)에서 일박하면 되니까 말이다.

그런데 515번에서 남하하여 딜레크-야르마다시(Dilek-Yarmadsi) 국립공원까지는 잘 왔다.

딜레크-야르마다시 국립공원 끝의 바다

딜레크 / 야르마다시 / 프리에네 / 밀레투스 / 디딤

이왕 온 거 그래도 국립공원이니 들어가 보자 하여 들어갔으나 숲만 우거져 있을 뿐 별로 볼 것은 없다.

물론 여기에서 일박한다면, 볼만한 협곡도 있고, 바닷가에서 수영도 할 수 있고 놀기엔 좋은 곳이지만 말이다.

계속 끝까지 나아가자 군인이 지키고 있고 바닷가로 길이 나 있다.

경치는 참으로 좋다.

잠시 내려 숨을 고른 다음 다시 되돌아 나왔다.

나오는 길에 아스팔트 위에 거북이 엉금엉금 기어가고 있어 차를 멈춘다.

거북을 집어들으니 이 녀석 고개와 다리를 모두 쏙 집어넣고 완전

아스팔트 위의 거북

13. 거북아, 거북아, 고개를 내밀어라

고개를 내밀어라

경계 태세다.

제 딴에는 얼마나 놀랬으랴!

“거북아, 거북아, 고개를 내밀어라.

사진 좀 찍게.

그러지 않으면 구워서 먹으리라.”

아무리 구지가(龜旨歌)를 불러도 소식이 없다.

그렇다고 구워 먹을 수도 없고. 아마도 터키말로 불렀으면 알아들었을 텐데 한국말로 불러서 그런 모양이다.

풀숲에 놓아주고 다시 길을 떠난다.

딜레크 / 야르마다시 / 프리에네 / 밀레투스 / 디딤

엉금엉금

거북은 엉금엉금 가면서 그랬을 것이다.

"내가 못 알아듣는 척 가만히 있으니까, 지가 별수 있남? 지가 우쩔 겨? 못 알아듣는다는디……."

그렇다, 사람도 마찬가지다.

못 알아듣는 사람에게는 아무리 공갈을 쳐도 소용이 없는 것이다.

못 알아듣는 학생에게 알아듣도록 가르치는 것이 선생이 하는 전문적인 일이다.

그래서 교사 자격증이 있어야 교사가 될 수 있는 것이다.

그렇지만 그게 쉬운가? 못 알아듣는 학생은 역시 못 알아듣는다.

못 알아듣는 학생을 가르치려고 애쓰는 선생이 분명히 훌륭한 선생으로 칭송받아야 한다.

그런데 세상은 그렇지 않다. 결과만 본다.

그래서 잘 알아듣는 학생만 가르치는 선생을 훌륭하다고 한다.

똘똘한 제자가 많은 선생이 훌륭한 선생이 되는 것이다.

제자는 자기 선생을 최고로 친다. 그러니 똑똑한 제자가 많으면 선생은 그냥 훌륭한 선생이 되는 것이다.

예컨대, 서울대 교수는 지방대 교수보다 훌륭한 선생으로 대접받는다. 알아듣는 학생들만 가르치기 때문이다.

제대로 가르치지 않아도 똑똑한 학생이니까 지가 알아서 알아듣는다.

딜레크-야르마다시 국립공원: 거북이

딜레크 / 야르마다시 / 프리에네 / 밀레투스 / 디딤

그러나 지방대 교수는 못 알아듣는 학생을 알아듣게끔 가르치려 무진 애를 쓴다.

그리고 하나라도 알아듣는 학생을 만들면 보람을 느낀다.

그렇지만 사회에서는 지방대 교수를 별로 훌륭한 선생으로 보지 않는다.

세상이 이리 왜 뒤바뀌었는가?

세상이 뒤바뀐 것이 아니다. 평판이란 원래 그런 것이다.

그러니 억울하면 서울대 교수를 해라. 대접받고 싶으면 서울대로 가라.

그렇지만 세평에 아랑곳하지 않고, 자질이 떨어진 학생의 자질을 일

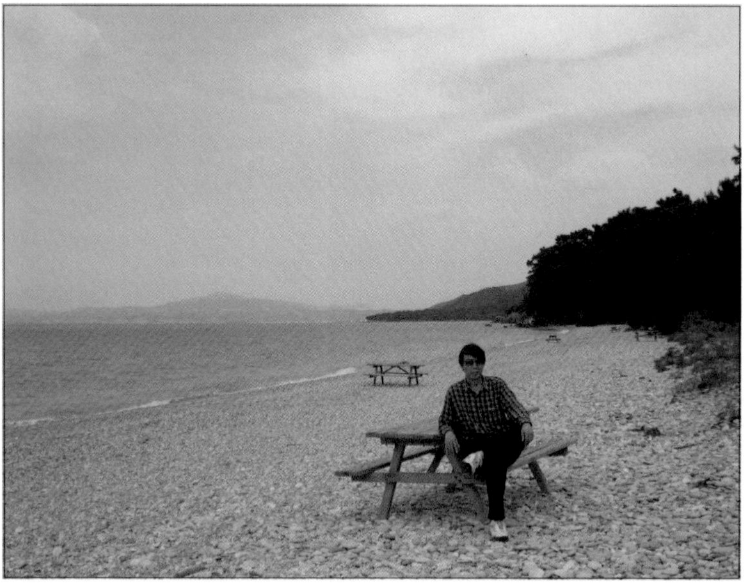

딜레크-야르마다시 국립공원 끝의 바다

13. 거북아, 거북아, 고개를 내밀어라

제우스 동굴 가는 길

깨워 알아듣게 가르치려고 노력하는 데서 보람을 느끼는 분들은 지방대로 가라. 평생 보람을 느끼면서 살 수 있다.

그렇지만 현실은 그렇지 않다.

못 알아듣는 사람은 초지일관 못 알아들으니까. 힘만 들 뿐이다.

물론 어쩌다 가뭄에 콩 나듯 발전하는 학생을 발견하면 그만큼 보람이 커지지만.

지도상에는 여기에서 피레네 유적 쪽으로 길이 나 있으나 그것은 사람이 걷는 산길(일종의 등산로)이지 차가 다닐 수 있는 길이 아닌 모양이다.

지도가 잘못된 것이다.

딜레크 / 야르마다시 / 프리에네 / 밀레투스 / 디딤

제우스 동굴

차도인줄 알고 들어왔다가 돈만 내고 국립공원에 들어왔다고 생각했으나 그래도 소득이 있다.

복 거북을 만났으니 앞길이 훤할 것이다.

나오다 보니 제우스 동굴(Zeus Mağarası)라는 표지판이 보인다.

엄청 큰 동굴이 있는 모양이라 생각하고 가 보았지만…….

헝겊과 종이를 잔뜩 매어 달아놓은 나무를 지나 조금 올라가니 바로 동굴이 입을 크게 벌리고 있는데 그 안은 물이 고여 있다.

다른 사람의 말을 들으니 그 물은 바닷물이라 한다.

13. 거북아, 거북아, 고개를 내밀어라

14. 극장의 로얄 석에 앉아보다.

2007.4.16 월

다시 쇼케(Söke) 쪽으로 나아가 딜레크-야르마다시 국립공원 가장자리를 돌아 프리에네 유적으로 간다.

프리에네 유적은 높이 솟은 커다란 바위산 아래에 자리 잡고 있는데 정말로 유적이다.

왜냐면 신전 기둥들만 몇 개 남아 있고 모두 무너져 그 잔해가 그대로 모여 있기 때문이다.

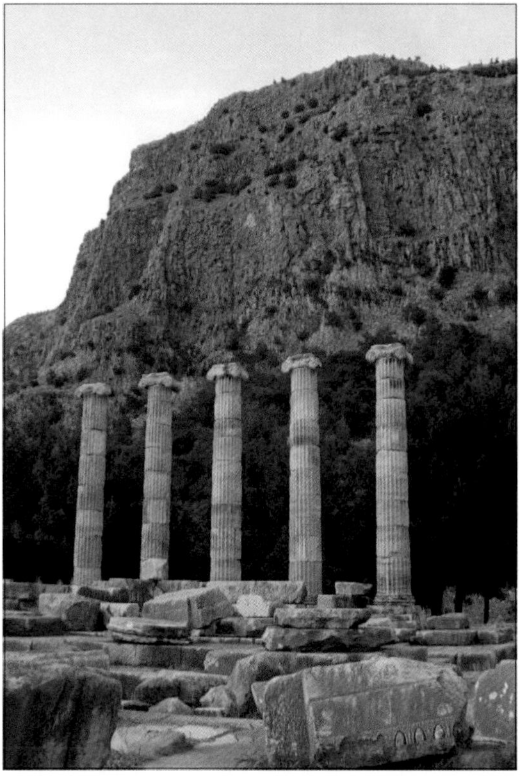
프리에네 유적

굴러다니는 수많은 돌기둥의 잔해를 보면 이들이 어떻게 돌기둥을 세웠나 알 수 있다.

밑바닥에 홈이 파여 있

으니 분명 그곳에 돌기둥들을 연결하는 돌들이 있었을 것이다.

그런데 지진이 나는 바람에 무너진 것이리라.

여기에서 굴러다니는 돌기둥 잔해라고 표현했으나 사실은 굴러다니지 않는다.

너무 크고 무거워 그 위에 올라 설 수는 있으나 건드려 봐도 꿈쩍 않는다.

그냥 그렇게 표현해본 것이니, 괜히 시비 걸지 않았음 좋겠다.

때로는 관용도 필요한 법이니까.

그냥 그렇게 읽고 그냥 모르는 척 지나가는 사람이 훌륭한 사람이다.

돌기둥의 잔해들

14. 극장의 로얄 석에 앉아보다.

프리에네 유적의 돌기둥

이곳 유적 역시 신전, 원형극장, 집터 등이 어우러져 있다.

그리스 로마 유적지마다 원형극장은 다 있다.

소득이 있으면, 먹고 살만 하면, 그 다음은 노는 것이지. 뭐 별 게 있나?

그러자니 목욕탕, 극장 등이 발달한 것일 게다.

놀이 가운데에서도 아마 연극 관람이 최고였을 것이다.

직접 움직이기 싫어하는 사람들에게는 말이다.

예컨대, 배부른 사람들은 점점 게을러지고 심심해지고, 그렇지만 책은 읽기 싫다.

그렇다면 누군가가 책을 대신 읽어 주면 되지만, 그보다는 오디오,

비디오가 함께 녹아있는 연극을 누워서 앉아서 그냥 구경하면 천하에 편할 것이다.

지금은 비디오도 있고 영화도 있으나, 옛날에 오감을 즐길 수 있는 종합예술은 오직 연극뿐이니 극장이 발달하지 않을 수 없었을 것이다.

더욱이 연극은 인생을 말해준다.

거기엔 노래도 들어가고, 그림도 들어가고, 무엇보다도 인생이 들어가 있으니.

이곳 원형극장의 특징은 무대 바로 앞부분에 로얄 석이 있다는 점이다.

손 걸치개까지 있고, 아니 손가락까지 올려놓을 수 있도록 오목하게

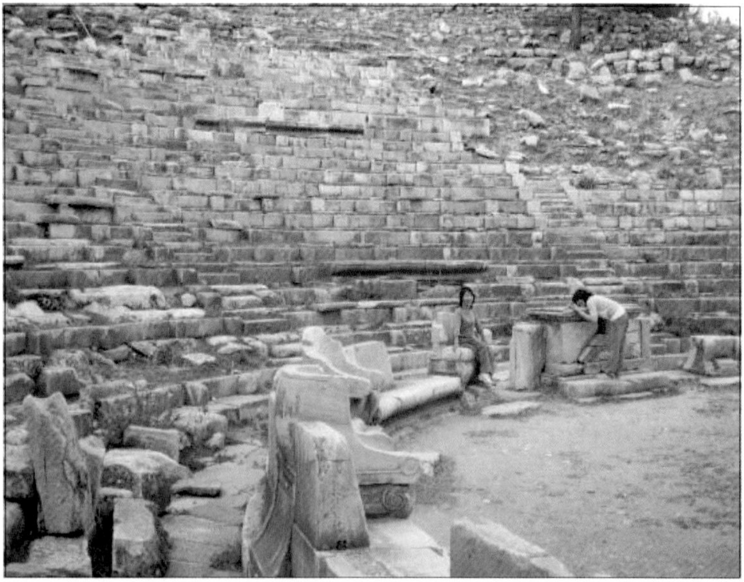

프리에네 원형극장

14. 극장의 로얄 석에 앉아보다.

원형극장의 로얄 석

파 놓은 특별 대리석 좌석이다.

옛날에 이곳의 왕이 앉았을 특별좌석에 앉아 폼을 잡아본다.

내가 어쩌면 전생에 이곳의 왕이었을지도 모른다는 생각과 함께.

당시의 신민들은 감히 엄두도 못 냈을 짓을 지금 내가 하는 거다.

세월 참 좋아졌다.

내려오는데 보니 뚱뚱한 할머니 한 분이 돌계단을 힘들여 내려오는 것이 보인다.

주내가 물어보니 이곳 유적이 보고 싶어 영감하고 오긴 왔는데 무릎이 아파서 영감만 보라하고 당신은 중간에 그냥 내려가는 거라 한다.

민아와 주내가 옆에서 부축을 해준다.

프리에네 유적

늙으면 참 서러울 것이다. 몸이 말을 안 들으니 마음만 앞서 있고·…….

"노세, 노세, 젊어서 노세."가 헛말이 아님을 알겠다. 그러니 우리도 더 늙기 전에 더 돌아다녀야 할 것을 절실하게 느낀다.

14. 극장의 로얄 석에 앉아보다.

15. 밀레투스 유적

2007.4.16 월

다시 남쪽으로 달리다 보니 들판 왼쪽에 밀레투스 유적이 나타난다.

밀레투스 유적도 대단하다.

이미 시간이 지난 저녁 무렵이어서 다행히 입장료는 안 내고 들어갈 수 있었다.

얼마 안 되는 입장료지만 왜 이리 기쁜지!

게다가 덥지도 않다.

눈에 보이는 밀레투스 유적은 너무 커서 사진기에 잡히질 않는다.

밀레투스 유적

딜레크 / 야르마다시 / 프리에네 / 밀레투스 / 디딤

밀레투스: 원형극장 통로

밀레투스 유적

15. 밀레투스 유적

그 대부분을 원형극장이 차지하고 있다.

그런 만큼 이 극장도 매우 크다.

좌석 뒤쪽으로는 굴로 된 통로를 만들어 놓았고, 극장 좌우로는 밖으로 나가는 커다란 굴로 된 문이 있다.

참 잘도 지어 놓았다.

그런데 이것만이 다는 아니다.

원형극장 뒤로 돌아 나가니 산등성이 너머로 유적들이 펼쳐져 있다.

이곳의 주 신전은 아폴로 델피니오스(Apollon Delphinios)를 위해 지은 것이라는 설명이 붙어 있다.

델피니오스란 아폴로 신에게 바쳐진 동물, 즉 돌고래를 말한다.

이 신전의 반 정도는 물속에 잠겨 있다.

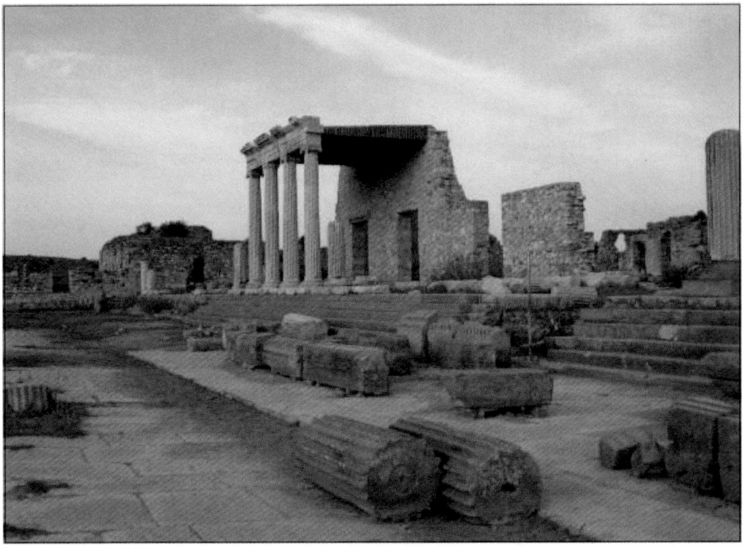

밀레투스: 아폴론 델피니오스 신전

밀레투스: 아폴로 돌고래를 위한 신전

이 신전의 앞에 있는 길은 디딤의 아폴로 신전으로 이어진 것이라 한다.

또한 폼페이우스가 BC 67년 해적을 무찌른 것을 기념한 것인지, 아니면 BC 31년 악티움의 전투에서 아우구스투스가 안토니와 클레오파트라를 이긴 것을 기념하기 위해 만들은 것인지는 명확하지 않으나, 밀레투스 시가 큰 항구의 기념물(Great Hobour Monument)을 세웠다는 기록과 그 유적이 남아 있는 걸 보면 옛적에는 이곳까지 배가 자유로이 들어왔던 모양이다.

이 이외에도 불레오테리온(Buleoterion)이라 부르는 상원(Senate House) 건물도 부서진 채 남아 있고 커다란 광장도 남아 있으며, 벽돌로 지어 놓은 건물 등도 많이 남아 있다.

15. 밀레투스 유적

밀레투스 유적: 샘

밀레투스 유적

또한 옛날 목욕탕이 비교적 그대로 남아 있다.

볼만한 건물들이다.

나오면서 보니 양떼들이 신전에서 이동 중이다. 유적이 그대로 방치되어 있다는 느낌이다.

옛날 영화를 누리던 도시가 이제 양떼들의 먹이 찾는 장소가 되어 있는 것이다.

밀레투스에서 나오니 이미 땅거미가 지고 있었다.

이제 디딤(Didim)에 가서 호텔만 얻으면 된다.

경치 좋은 길을 한 이십분 쯤 가니 디딤이라는 시가 나온다.

민아 말에 의하면 메두사 하우스가 싸고 좋다고 책에 나와 있다며

밀레투스 유적: 목욕탕 자리

15. 밀레투스 유적

밀레투스 유적의 양떼

그곳으로 가자 한다.

메두사 하우스를 물어 길을 가는데 표지판이 잘못되어 비포장도로로 들어섰다.

마침 한 떼의 여인네들이 아이 둘을 데리고 지나간다.

이들한테 메두사 하우스를 물어 보았더니 차에 타도 되느냐 한다.

아이 둘 데린 여인만 타는 줄 알았더니 같이 있던 여인네 둘도 올라탄다.

자동차 뒷좌석에 졸지에 민아와 여인네 셋 그리고 아이들 둘이 탄 셈이다.

아마도 이방인의 자가용이 타고 싶었던 모양이다.

밀레투스에서 디딤 가는 길의 바닷가 일몰 경치

타지 말라 할 수도 없고……,

참. 우습기도 하고, 어이가 없기도 하나 정작 그네들은 신이 나서 떠든다.

여하튼 내 차에 가장 많은 사람을 태운 셈이다.

그렇게 해서 아폴로 신전 옆에 내려주었다.

15. 밀레투스 유적

16. 길 떠나면 모든 게 관광이다.

2007.4.17 화

디딤(Didim)은 그리스어로 '쌍둥이'를 뜻하는 디디마(Didima)인데, 이런 이름이 붙은 것은 쌍둥이를 선호하는 그리스인들이 이곳에 쌍둥이 자매인 아폴로(Ap[ollo) 신과 아르테미스(Artemis) 여신의 사원을 이곳에 지었기 때문이라고 한다.

곧, 디딤은 '쌍둥이 사원'이 있는 곳이라는 의미이다.

디딤의 아폴로 신전은 헬레니즘 양식의 대표적인 건축물로서 그리스의 델포이 신전과 함께 신탁지로 유명했던 곳이라 한다.

디딤: 신탁으로 유명한 아폴로 신전

헤라클레이아 / 보드룸 / 달리얀

이 신전의 입구 기단에는 메두사의 머리가 놓여 있고, 신탁을 하러 모여든 사람들을 위한 숙박시설 및 목욕탕 터가 신전 주변에 있는 것을 볼 수 있다.

날은 이미 어둑어둑해져 오늘 숙박할 메두사 하우스를 찾아가다가 근처 식당에서 저녁을 잘 먹었다.

먹을 복은 있는 모양이다.

그러나 저녁을 먹고 찾아간 메두사 하우스는 책에 있는 것처럼 가격이 싼 것도 아니고 방이 좋은 것도 아니었다.

다만 메두사의 유명세 때문에 호기심을 끌 뿐이었다.

다시 나와 원래 인터넷에서 찾아냈던 호텔을 찾아 다시 물어물어

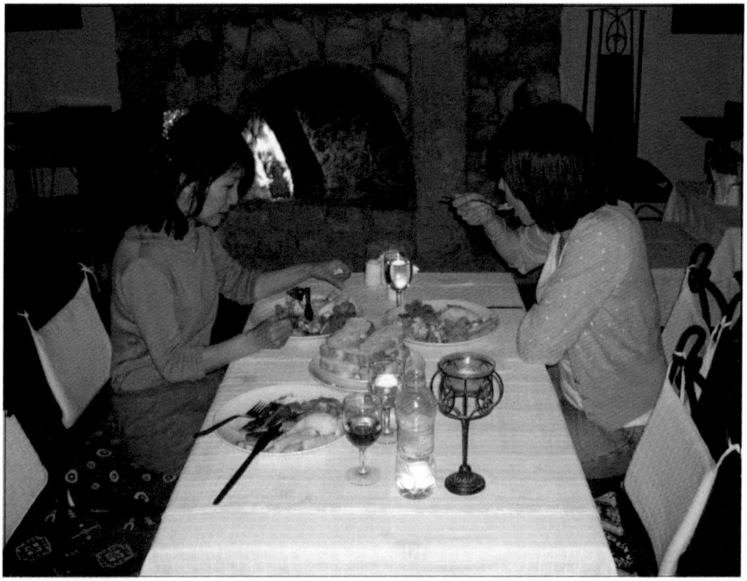

메두사 하우스 근처 식당

16. 길 떠나면 모든 게 관광이다.

메두사 하우스

가 보았는데 내부 수리 중이다.

5월부터 시즌이라서 지금부터 한창 손님 맞을 준비를 하는 중인 것이다.

어쩔 수 없이 다시 호텔 찾아 이곳저곳을 헤매다가 바닷가 쪽에 호텔들이 많은 것을 보고 그 쪽으로 간다.

새로 지은 호텔인 듯하여 들어가 보니 너무 싸고 좋아 이 호텔에서 하루 지내기로 했다.

이름이 에로스 호텔이라서 조금 러브 호텔 인상을 풍기기는 하나 그 안은 청결하고 내부 시설은 잘 되어 있다.

다만 흠이라면 그 동안 날이 흐려서 그렇다는데 태양전지로 데우던

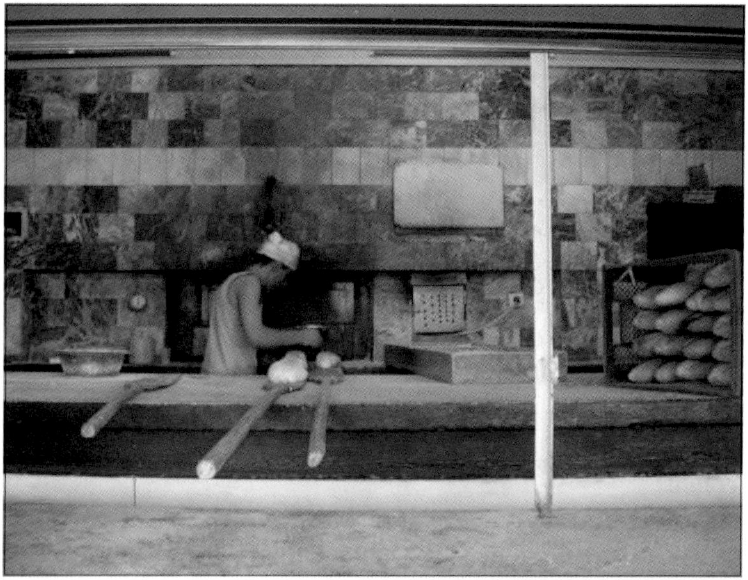

빵가게 관광

뜨거운 물이 안 나왔다는 것 빼고는 값(30리라: 21,000원 조식 불포함)에 비해 괜찮은 호텔이다.

다음날 아침 일찍 나와 아침 먹을 곳을 찾다가 어제 저녁 식사를 한 곳으로 가기로 했다.

어제 저녁을 근사하게 잘 먹었기 때문에 그 집 아침도 괜찮을 것이란 기대와 함께 갔으나 문을 열지 않았다.

분명 아침 식사를 한다고 써 놓았는데 아마도 여행 시즌이 아니라 그런 모양이다.

허긴 손님이 없는데 문을 열 리가 없지…….

그러나 그 음식점 옆이 빵 가게인데, 아니 빵 공장이다.

16. 길 떠나면 모든 게 관광이다.

새로 빵을 굽고 있고 사람들이 와서 한 바구니씩 빵을 사가지고 간다.

빵 굽는 것도 우리에게는 구경거리이다.

길을 떠나면 모든 게 다 관광거리이다. 빵 가게까지도!

따끈따끈한 빵을 사서 차에 앉아 꿀을 발라 먹는다.

꿀이나 잼이 없어도 그렇게 맛이 있을 수 없다. 바로 구운 빵이라서 그런 모양이다.

그 앞의 아폴로 신전은 9시가 넘어서야 문을 열 것이다.

그러니 들어갈 수도 없고, 울타리 밖에서도 충분히 볼 수 있어 대충 훑어보고 길을 떠나기로 했다.

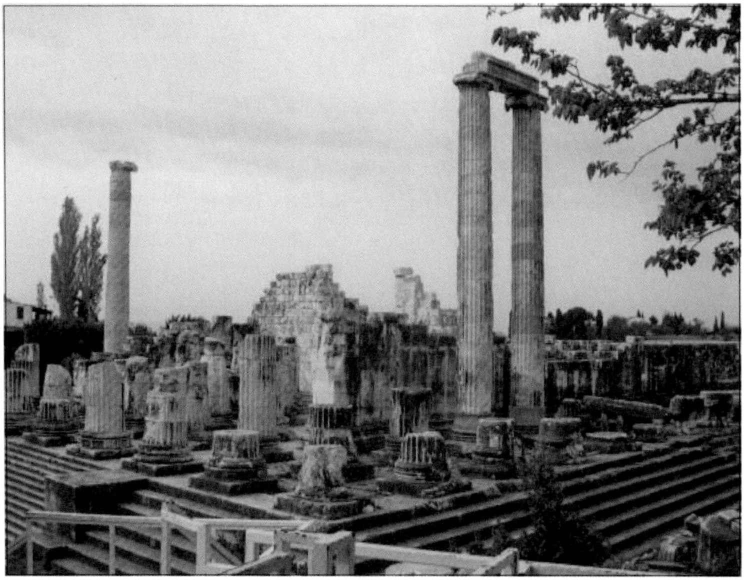

디딤: 신탁으로 유명한 아폴로 신전

신전의 입구 기단에는 메두사의 머리만 확인하고 신전을 사진에 잡아넣은 뒤 길을 떠난다.

그렇지만 울 밖에서 보아도 역시 아폴로 신전은 근사하다.

오늘은 보드룸까지 가야 하는 만큼, 아폴로 신전 동쪽에 있다는 쌍둥이 사원인 아르테미스 여신의 사원은 물론 생략하는 수밖에 없다.

17. 미지의 세계가 기다리고 있으니…….

2007.4.17 화

오늘은 보드룸까지 가는 여정이다.

다시 아크쿄이(Akköy)까지 다시 올라가 525번 도로를 타고 보드룸으로 가는 길은 차미치(Çamiçi Gölü) 호수를 끼고 가는 길인데, 비록 아침 안개 때문에 뿌옇기는 해도 호수와 호수 건너 산의 경치는 좋다.

호수 너머로 보이는 산은 우리나라 관악산처럼 삐죽삐죽한 산이다.

호수를 삥 돌아 호수 한쪽 산속에 자리잡은 헤라클레이아(Herakleia) 유적을 보러 525번 도로에서 벗어난다.

헤라클레이아 마을의 뒷산

헤라클레리아라는 이름은 그 이름에서 짐작할 수 있듯이 그리스인들이 헤라클레스의 이름을 따서 명명한 것이다.

가는 길에 어떤 할머니 한 분이 차를 태워달라고 한다.

차를 태워 드린다.

가는 도중에 소 떼를 몰고 오는 광경도 보인다.

헤라클레이아에 이르자 산 위의 마을이 보이는데 평화롭다.

모든 것이 다 관광인 셈이다.

마을로 올라가는 길목에 수도원 가는 길, 00동굴 가는 길이라는 이정표가 보인다.

머뭇거리는데 옆의 식당에서 아저씨 한 분이 나와 자기 집 마당에

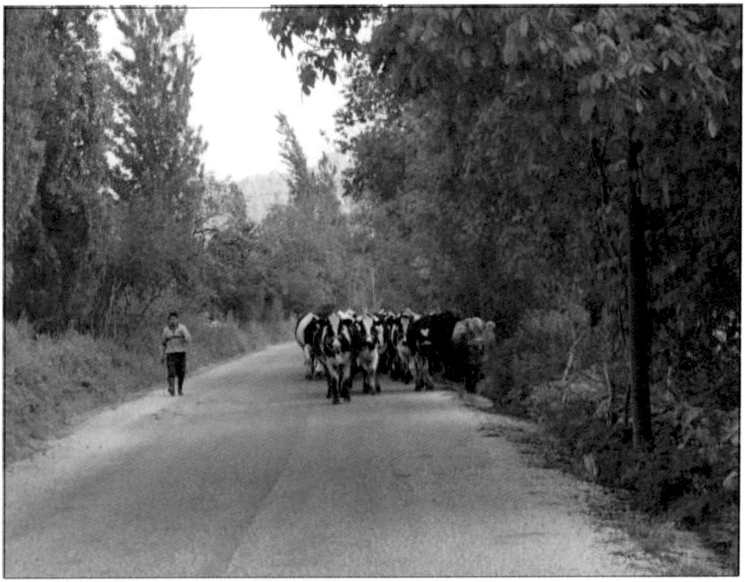

헤라클레이아 가는 길: 소떼

17. 미지의 세계가 기다리고 있으니…….

헤라클레이아: 마을 뒷길

차를 세우고 올라가 보란다.

그러면서 자기가 안내해주겠다 한다.

식당을 비우면 되는가 했더니, 괜찮다고 하다가 우리가 사양하니까 우리끼리 가면 찾을 수 없을 거라면서 데리고 있던 개를 따라 가라 한다.

그놈이 영리하여 잘 안내해줄 거라면서.

정말이지 이 녀석 앞장서서 우리를 안내한다.

신통하기도 해라! 먹을 걸 줘도 먹지 않는다.

아마도 훈련받은 개인 듯하다.

식당 주인 이름은 무스타파(Mustafa Kaşıkcı) 씨인데 고등학교 영어선생을 하다 은퇴하여 식당(Lake Bafa)을 운영한다고 한다.

산위에서 본 헤라클레이아 마을

식당 옆 뒷산에는 몇 개의 방갈로(Pension on the Rock)를 짓고 있다.

구불구불한 마을 뒷길로 산을 오른다.

여기저기 나귀와 말의 똥들이 길에 그대로 있어 냄새가 나기는 하나 공기는 청량하다.

수도원을 찾아 개 뒤를 따라 산을 오르는데 산에는 여기 저기 낮은 담장이 둘러져 있고 그 안에 소와 양을 방목한다.

산위라서 내려다보는 경치는 좋다. 마을과 호수가 눈 아래 장관을 연출한다.

한 30분 정도 걷다보니 아무래도 너무 먼 것 같다

17. 미지의 세계가 기다리고 있으니…….

헤라클레이아: 마을 뒷산

헤라클레이아: 마을과 호수

잘못하면 산위에서 하루를 다 보낼 것만 같다.

그것도 좋은 일이긴 하나, 우리에게는 또 다른 예정된 미지의 세계가 기다리고 있으니…….

상의 끝에 되돌아가기로 했다.

되돌아 나와 식당에 가 무스타파 씨에게 점심을 주문해 놓고 헤라클레이아 유적을 보고 와서 식사를 하기로 했다.

다시 차를 타고 조금 가면서 보니 주변의 바위들이 볼 만하다.

또 다른 마을이 나오고 마을 뒷산으로 올라가서 보니 바위들 사이에 헤라클레이아 유적들이 보인다.

성곽과 돌로 쌓은 성곽과 집들 신전 등이 보인다.

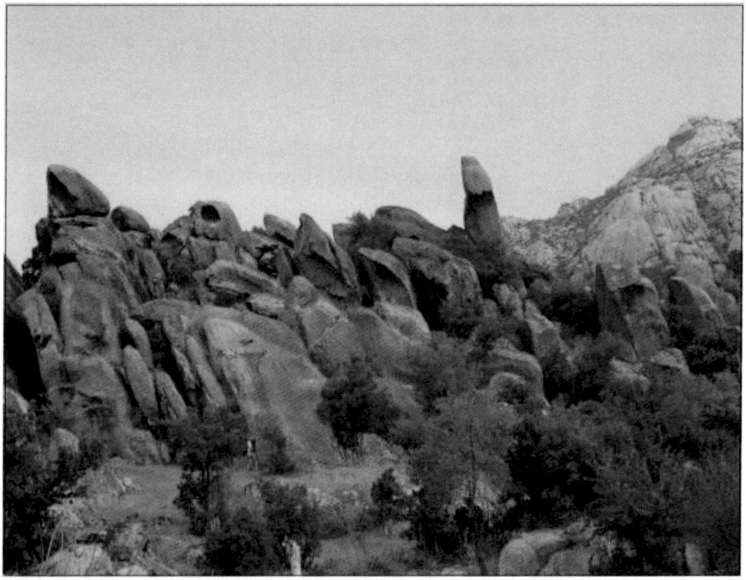

헤라클레이아: 바위 산

17. 미지의 세계가 기다리고 있으니…….

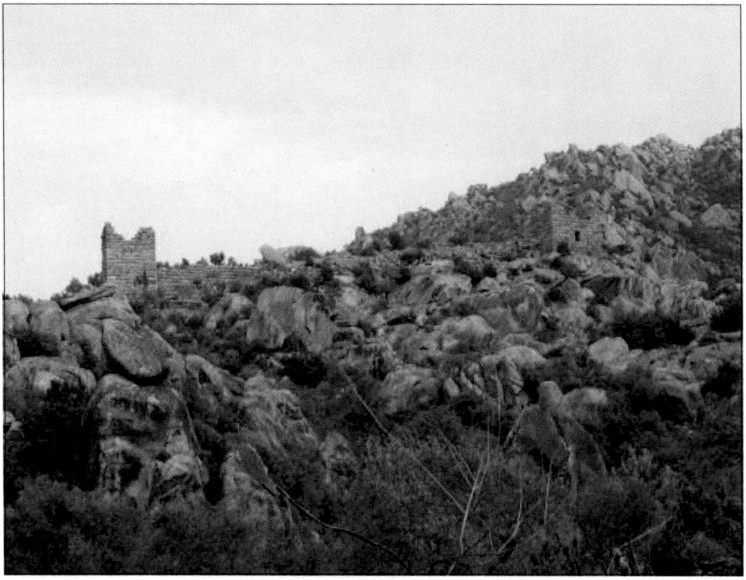

헤라클레이아 유적

저곳까지 가서 보아야 하겠으나 지금까지 본 유적들과 비슷할 것이다.

물론 다른 점이 분명 있겠지만.

되돌아와 무스타파 씨의 식당에서 점심을 먹고 기념사진을 찍고 다시 길을 떠난다.

18. 하늘에서 헤엄친 거북

2007.4.17 화

조금 가는데 또 거북이 나타났다.

다시 한 번 거북을 잡아 올린다. 앞의 거북은 고개와 다리를 쑥 집어넣고 '나 죽었소!' 하며 가만히 있었는데, 요 놈은 고개와 네 발을 내놓고서는 허공에서 계속 버리죽거린다.

마치 "봐라, 봐!" 하면서

제 딴에 제 갈 길을 가겠다고 주장하는 듯하다.

거북이 적을 만나면 모두 고개와 네 발을 집어넣고, 적이 물러 갈 때까지 꼼짝 않고 있을 것이라는 선입견이 무너지는 순간이다.

역시 경험이란 배움의 길목에서 진실을 일깨워 주는 데 중대한 역할을 한다. 헤세가 말하는 '아프락사스의 알(자신이 인식하고 있는 세계)'을 깨고 나오는 데 지대한 공헌을 하는 것이다.

우리 눈엔 똑같은 거북이라도, 이와 같이 각각 성질이 다른 것이다.

사람도 마찬가지이다. 모두 다 외양도 다르고, 말씨도 다르고, 그 승질머리도 다 다르다.

그렇지만, 우리는 언제나 자기 자신처럼 생각하는 경향이 있다. 내가 착하니 상대방도 착할 것이라고 생각하는 사람이 있는가 하면, 내가 이런 경우 슬쩍 공금을 '인 마이 포켓'했으니, 저놈도 틀림없이 그럴 거리고 생각하는 사람도 있다.

사람들은 자기 자신에 비추어 상대를 보기 때문이다. "부처의 눈에는 부처만 보이고, 돼지 눈에는 돼지만 보인다."는 무학대사의 말씀이 조금도 어긋나지 않는 것이다.

그렇지만 이 말씀을 들은 돼지들은 "왜 대사님은 돼지를 비하하는 말씀을 하시는가? 나도 (깨달으면) 부처다."라면서 벌떼처럼 일어나 무학대사님에게 항의할 수도 있겠다.

그래서 나는 무학대사님 말씀을, 그게 그거겠지만, "부처님 눈에는 부처가 보이고, 도둑놈 눈에는 도둑만 보인다."로 고치고 싶다. 아니 이 세상엔 부처님 눈으로 보는 사람도 있고, 돼지의 눈으로 보는 사람도 있고, 도둑놈 심보로 보는 사람도 있다.

그러니 이런 다양한 인식의 눈을 인식하고 현명하게 살아야 하지 않겠는가!

보드룸 가는 길의 하얀 집들

사실 우리는 우리의 선입견 속에서 얼마나 일반화의 오류를 경험하고 있는 것인가!

다시 거북을 땅바닥에 살며시 놓아준다. 그러자 이 놈은 한 치의 망서림도 없이 잽싸게 숲으로 들어간다.

"아 글쎄, 갑자기 몸이 붕 뜨더니만, 파란 하늘만 보이고, 그래서 내가 하늘을 한참 헤엄쳤더니만 다시 땅에 닿는기라!"

아마도 이놈은 돌아가서 친구들에게 하늘을 헤엄친 무용담을 전할 것이다.

보드룸까지 가는 길에는 그리스 로마 유적들이 많이 있지만 이제 유적들도 시들하다.

보드룸: 베드로의 성

18. 하늘을 헤엄친 거북

보드룸: 관광의 날

그냥 보드룸으로 향한다.

보드룸(Bodrum)에 이르자 하얀 집들이 나타난다.

일단 바닷가의 베드로의 성(St. Peter's Castle)이라고 부르는 보드룸 성까지 가보기로 하고 가다보니 성으로 들어가는 길목에서 차단기를 열어 준다.

들어가 차를 세우고 보니 오늘 관광의 날 행사를 했다 한다.

아직도 재미있는 의상을 입은 사람들이 돌아다니고, 저쪽 편에서는 사람들에게 밥과 우리나라 약밥 비슷한 것과 아이런(요구르트에 우유를 탄 음료수) 등을 노나 준다.

모두 하나씩 받아들고 바닷가 벤치에 앉아 행복한 웃음을 띠며 간

보드룸으로 들어서며

보드룸의 하얀 집들

18. 하늘을 헤엄친 거북

보드룸: 베드로의 성

식을 먹는다.

민아는 내일 아침 일찍 보드룸 앞에 있는 코스(Kos)라는 그리스 섬에 갔다 오겠다 한다.

그곳에는 아스클레피온(Asklepion)이라는 유적지가 있으나 그것을 관광하려는 목적보다도 민아의 여권 비자 기간이 거의 다 되었기 때문이다.

민아는 표를 끊으러 가고 나는 돈을 찾으러 바닷가 상가 쪽을 빙빙 돈다.

배표를 끊은 민아 말에 의하면 그곳 배낭여행하는 학생들이 가는 숙소에 가보았더니 15리라(약 만 원) 달라는데 남녀 혼숙이고 별로 좋

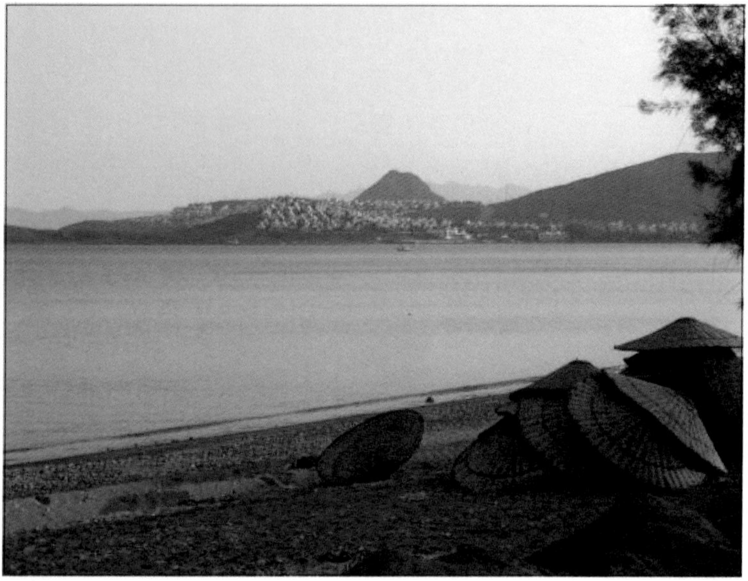

보드룸: 오르타켄트의 바닷가

지 않아 그냥 왔다고 한다.

이제 다시 호텔을 찾아야 한다. 싼 호텔을 찾으려니 보드룸에서 나와 9km 떨어진 다른 쪽 바닷가인 오르타켄트(Ortakent)로 향한다.

이곳엔 호텔들이 그야말로 많다.

골목마다 호텔 표지판들이 열댓 개씩 붙어 있다.

그렇지만 대부분은 5월 개장을 앞두고 준비 중이라서 열어 놓은 곳은 그렇게 많지 않다.

바닷가에 붙어 있는 사르실마즈 호텔(Sarsilmaz Otel)에 방을 얻었다.

바닷가 경치가 참 좋다.

18. 하늘을 헤엄친 거북

19. 불가사의한 것이 불가사의하다.

2007.4.18 수

아침 일찍 민아를 보드룸 항구로 데려다 주고 우리는 베드로 성에 들어간다.

민아는 그리스 섬에 갔다가 그리스 본토로 가서 이스탄불로 간다 한다.

만약 다시 되돌아오면 다시 연락하여 파묵칼레에서 만나기로 약속하고 떠나보내는데 그 동안 정이 들었는지 괜히 불안하고 안쓰럽다.

베드로 성엔 이곳엔 바다 밑에서 건져 올린 유물들이 전시되어 있

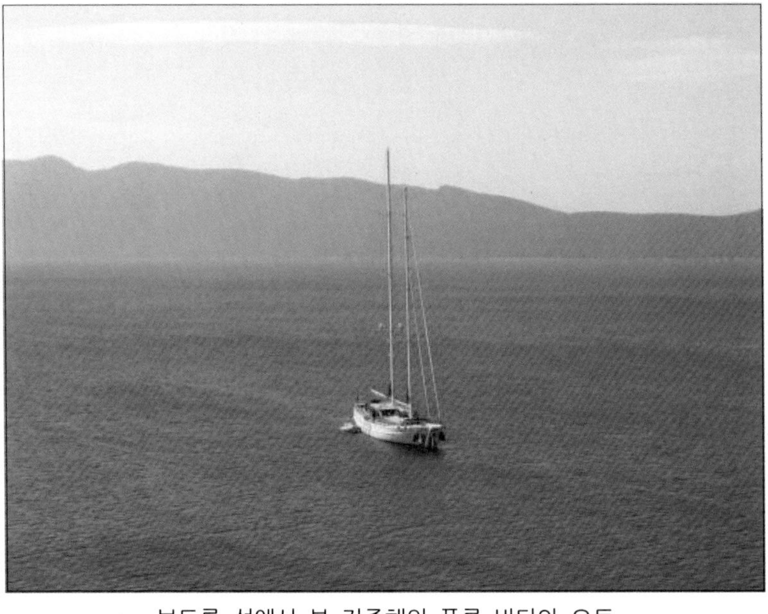

보드룸 성에서 본 지중해의 푸른 바다와 요트

보드룸 성: 해저 유물

는데 학생이나 선생 할인이 안 된다 한다.

똑같은 터키의 유적이나 박물관인데 그 가운데 어느 곳은 학생 요금이 무료이고, 어떤 곳은 반값이고, 어떤 곳은 1/10값이고, 어떤 곳은 안 된다 하니 참 이상하기도 하다.

여하튼 일인당 10리라(7,000원)씩 내고 들어가 보았는데, 성 위에 올라 보드룸 시내와 바다를 조망하는 것은 그럴 듯하나 그 안의 유물들은 별로 볼 게 없다.

게다가 성 꼭대기의 어떤 방은 따로 돈을 받는다.

유물들을 전시해 놓은 방들은 우리나라 신안 앞바다에서 건져 올린 유물들을 전시해 놓은 것과 비슷하다.

19. 불가사의한 것이 불가사의하다.

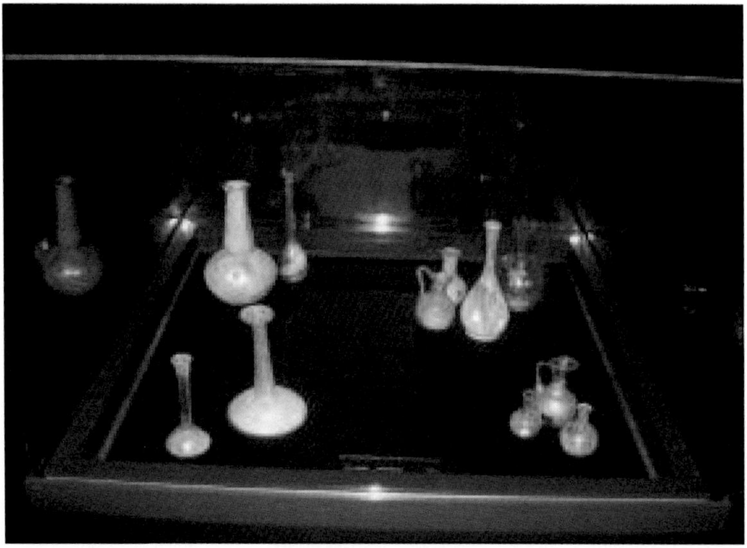

보드룸 성: 해저 유물

보드룸 성: 공작

보드룸 성의 병사들이 큰일 하던 곳

앞마당의 공작새가 우리를 보고는 깃을 활짝 편다.

화살표를 따라 한 바퀴 돌면서 주로 토기로 된 그릇들과 유리그릇 따위의 유물들을 구경한다.

어떤 방은 감옥으로 썼던 모양인데 고문 기구들도 있다.

그리고 성을 지키던 병사들이 큰일을 보던 곳도 구경한다.

이거저것 보다가 성 위로 올라가 주로 성 밖의 풍경을 사진기에 잡아넣는다.

민아를 태우고 그리스 섬으로 떠나는 배며, 요트며, 보드룸 시내 풍경이며 따위를 잡아넣고는 밖으로 나온다.

시내에 있는 고대 7대 불가사의의 하나라는 마오솔레움으로 간다.

물어물어 골목길을 돌고 돌아 골목 한 켠에 차를 세워놓고 들어가

19. 불가사의한 것이 불가사의하다.

보드룸 성에서 본 보드룸 시내 풍경

불가사의한 마오솔레움 터

본다. 고대 7대 불가사의의 하나라니 안 보고 갈 수는 없는 노릇이다.

다행히 학생이나 선생은 무료이다.

주내는 물론 돈을 내고.

들어가 보니 터만 덩그러니 남아 있고 유물들이 한쪽 편에 설명과 함께 전시되어 있을 뿐이다.

옛날에는 불가사의한 건물이 들어서 있었을 것이나 지금은 정말 볼 것이 별로 없다.

그러니 불가사의라는 말이 정말 불가사의하다.

아마도 고대 불가사의 중의 하나라는 말은 “지금은 볼 수 없으니 불가사의 한 것”이라는 뜻인 모양이다.

불가사의한 마오솔레움 모형

19. 불가사의한 것이 불가사의하다.

한 건 했군!

보드룸에서 나와 페티에 가는 길은 참 아름답다.

산을 넘어 가는데 저 아래 바다가 한 폭의 그림이다.

경치 좋은 곳, 식당 있는 곳에서 차를 내려 점심을 먹고 구경을 한다.

마침 개 한 마리가 완벽한 빵 한 덩어리를 물고 바삐 걸음을 옮기고 있다.

"오늘 한 건 했구나!"

저 개는 오늘 종일 행복할 것이다.

사람이든 짐승이든 행복한 것을 보면 즐거운 법이다.

20. 파라 요크, 파라 요크(돈 없어, 돈 없어)

2007.4.18 수

페티예(Fethiye) 가는 길의 다른 유적들은 모두 생략하고 카우노스(Kaunos) 유적이 있는 달리얀(Dalyan)으로 향한다.

달리얀은 운하가 유명하다.

달리얀에 이르러 카우노스 유적을 묻자 한 오토바이를 탄 청년이 다가와 따라 오라 한다.

그 청년을 따라 가니 운하에 대어 놓은 배 옆으로 가서 차를 세우란다.

달리얀 운하

달리얀 운하 건너편 절벽의 무덤

운하 건너 산 절벽에는 절벽을 파서 만든 신전 같은 것이 보인다.

아마 저것이 카우노스 유적인가보다.

청년은 배를 타고 건너가야 한다고 한다.

그냥 차로 갈수 없느냐니까 차로 가려면 온 길을 되돌아 세 시간을 가야 한다고 한다.

세 시간까지는 안 걸릴지 모르나 그 반 만 잡아도 다시 이쪽으로 오려면 시간적 손실이 너무 크다.

지도를 보니 사람들이 걷는 길만 표시되어 있을 뿐이다.

아마도 그 길이 비포장도로인 듯하다.

배를 타는데 얼마냐고 물으니 70리라(49,000원)를 내라 한다. 아무

카우노스 유적

래도 너무 비싸다 싶다.

깎는다.

50리라, 30리라까지 내려갔다.

더 이상은 안 된다 한다.

30리라면, 하룻밤 방값인데…….

30리라에 가기로 하고 배를 타는데 보니까 20여 명이 탈 수 있는 유람선이다.

청년은 자기가 선장이라며 배를 몬다.

배는 운하를 가로질러 가는 것이 아니라 하류로 간다.

갈대와 함께 솟아 있는 산들이 절묘하게 어우러진다.

정말 경치가 좋다.

한 20분쯤 갔을까 배를 건너편에 대고는 30분 시간을 줄 테니 갔다 오라 한다.

20. 파라요크, 파라요크(돈 없어, 돈 없어)

아까 본 절벽의 사원 같은 것은 알고 보니 카우노스 유적이 아니라 무덤이었다.

아무래도 30분은 너무 짧은 것 같다고 하니 시간을 1시간으로 늘려 준다.

길을 따라 한 10분쯤 올라가니 카우노스 유적이 나온다.

유적은 산 위에도 있고 산 밑에도 있는데 산 밑에는 작은 호수가 하나 있다.

역시 원형극장, 신전, 목욕탕 등 볼거리가 많다.

볕은 뜨거운데다 그리스 로마 유적을 너무 많이 보아서 흥미가 반감되었는지 주내는 그늘에 앉아 있고 혼자서 여기 저기 돌아다닌다.

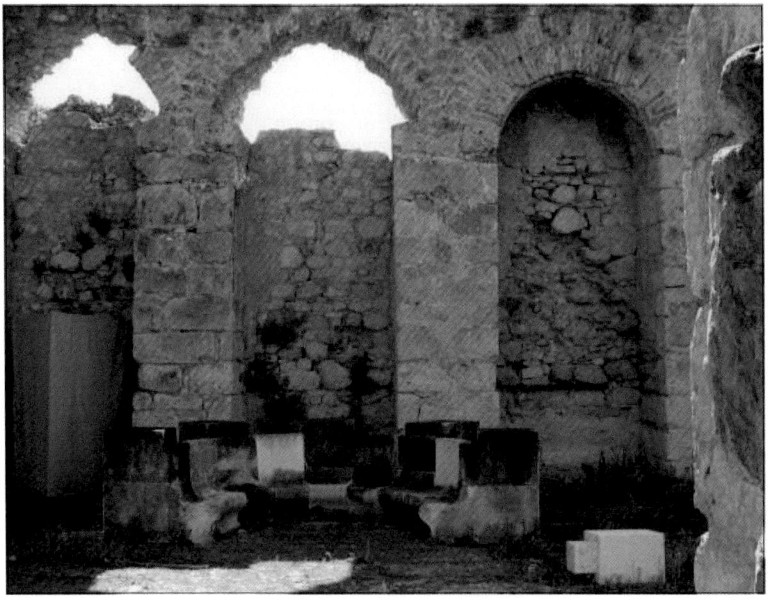

카우노스 유적: 로마 목욕탕

그렇지만 산 위의 유적과 저 멀리 호수 주변에 있는 유적에는 나 역시 가지 않는다.

이제는 그리스 로마 유적이 지겨울 만하기도 할 것이다.

더군다나 그리스 로마 유적의 백미인 에베소를 본 다음부터는 가 봐야 그것에 견줄 바 아닌 듯하여 시들해진 것이다.

오히려 운하 건너편 절벽의 바위 무덤들이 더 관심을 끈다.

그것들은 지금까지 보지 않았던 것이니까 말이다.

다만 돌아다니며 느끼는 것은 너무 관리가 소홀하다는 것이다.

예컨대, 신전은 온통 소똥 말똥 투성이다.

입장료는 받으면서 왜 이렇게 관리를 하는 건지 모르겠다.

카우노스: 테라스 신전

20. 파라요크, 파라요크(돈 없어, 돈 없어)

카우노스 유적: 원형극장의 노점 아줌마

자기들 조상의 유적이 아니라서 그런 건지 이들의 국민성이 낙천적이어서 그런 건지……, 그래도 이것이 다 관광자원인데…….

되돌아 나와 배에 오르기 전 예닐곱 명의 관광객들이 쪽배를 타고 내리는 것을 보았다.

물어보니 일인당 2.5리라란다. 둘이 10리라면 왕복이 가능한 것을 30리라에 계약했으니…….

주내는 따지지 말고 웃으면서 해결할 수 있는 방법을 찾자며 나에게 20리라만 달라 한다.

배에 오르면서, 주내가

“우리가 돈이 없는데 어쩌냐? 20리라밖에 없는데…….”

카우노스 유적

웃으면서 말하는데, 선장이라는 이 청년은 정색을 하고는

"안 된다. 30리라 줘야 한다."

내가 거든다. 손을 내저으면서

"파라 요크, 파라 요크(돈 없어, 돈 없어)."

"은행가서 찾으면 된다."

"방크 파라 요크, 파라 요크(은행도 돈 없다. 돈 없어)."

그러니 농담하는 줄 알고 웃는다.

주내가 묻는다.

"야, 여기 건너는데 2.5리라라던데?"

"이 배는 큰 배이다. 작은 배도 왔다 갔다 하려면 두 사람에게 10

리라 아니냐? 그리고 작은 배는 이렇게까지 데려다 주지 않는다. 그냥 바로 운하만 건너 준다."

"우리 큰 배 필요 없다. 그냥 건너기만 하면 되지."

웃다보니 원래 있던 데에 다 왔다.

내리고서는 그냥 가는 시늉을 하며 "바이, 바이" 하니, 처음에는 웃다가 얼굴이 굳어진다.

다시 돌아가니 얼굴이 풀린다.

주내가 20리라를 쥐어 준다.

그리고는 정색을 하고 말한다.

"고맙다. 입장료 내고 나니 20리라밖에 없다. 10리라 더 내라면 은

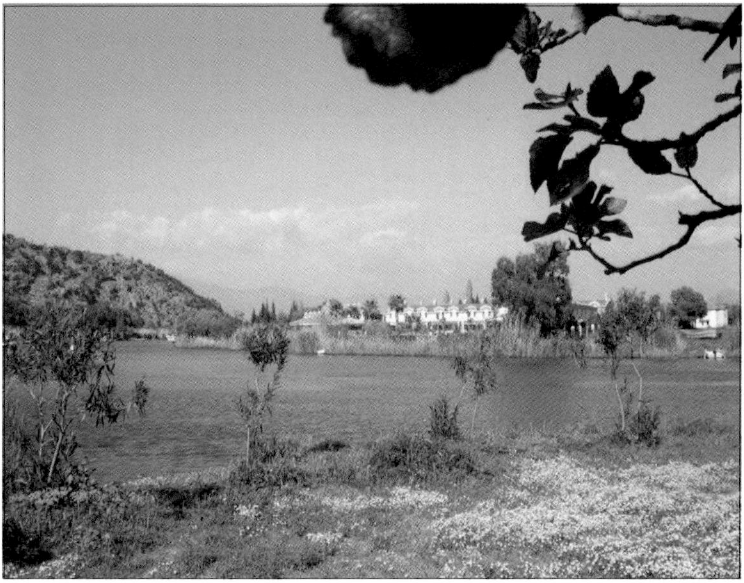

달리얀 운하

달리얀 운하

행으로 가자."

돈을 보더니 씨익 웃으면서 그냥 주머니에 넣는다.

그리고는 오토바이를 타고 바람같이 사라졌다.

아마도 또 다른 관광객을 끌고 올 모양이다.

비록 바가지를 씌우려 했으나 열심히 일하는 모습은 보기 좋다.

여하튼 부지런한 새가 모이를 먹는 법이다.

조금 비싼 셈을 치르긴 했지만 큰 배 한 척을 전세 내 둘만의 선상 유람을 했다 생각하면 그렇게 비싼 값은 아닌 셈이다.

서로 만족할 수 있는 윈-윈 게임으로 이끌어가는 주내의 지혜가 돋보인다.

20. 파라요크, 파라요크(돈 없어, 돈 없어)

21. 죽음의 바다 욜류데니즈

2007.4.18 수

달리얀에서 나와 페티예로 향한다.

페티예를 지나 욜류데니즈(Ölüdeniz)의 호텔을 찾아 일단 숙박부터 정한 뒤에 저녁을 먹으려 한다.

욜류데니즈에서 '욜류'란 죽음을 말하고 '데니즈'란 바다를 말하는 것으로서 이 도시의 이름은 '죽음의 바다'라는 뜻이다.

왜 이런 이름이 붙었는가 했더니 이곳에서 유명한 나비 계곡(Butterfly Valley)이 바다 쪽에 있는데 그곳에 서면 나비처럼 날아 떨어져 죽고

욜류데니즈 시가지

욜류데니즈의 호텔

싶을 정도로 바다가 매혹적이어서 붙여진 이름이란다.

참 이름도 매혹적으로 붙였다. 나비처럼 떨어져 죽고 싶은 도시라~.

페티예에서 가는 길을 물어보니 아직도 한참을 더 가야 한다는 것이다.

페티예에 있는 호텔인 줄 알았더니 나중에 알고 보니 완전히 다른 도시인 것이다.

완전히 페티예를 지나 산을 너머 가면서 계속 물어본다.

이제 산과 산 사이를 지나 내려가는 길만 남아 있다.

그 동안 많은 호텔들이 눈에 뜨인다.

일단 내려가면서 인터넷에서 적어 놓은 호텔을 찾아가니 언덕 위에 자리 잡고 있어 전망이 좋고 큰 호텔이다.

그러나 인부들만 일을 하고 있다.

역시 5월에 문을 연다고 한다.

되돌아갈까 하다가 일단 내려가 보기로 했다.

바닷가까지 내려가는 동안 좌우에 전부 호텔들이다.

무슨 호텔인지 이름은 기억이 나지 않는데 내정이 아주 아름답고 깨끗한 호텔에 들었다.

이 호텔 역시 식당을 포함하여 일부 객실은 내부 수리 중이다.

따라서 아침이 포함되지 않는 것이 흠이라면 흠이다.

오늘은 일단 저녁을 먹고 민아가 적어주면서 꼭 해보라고 했던 패

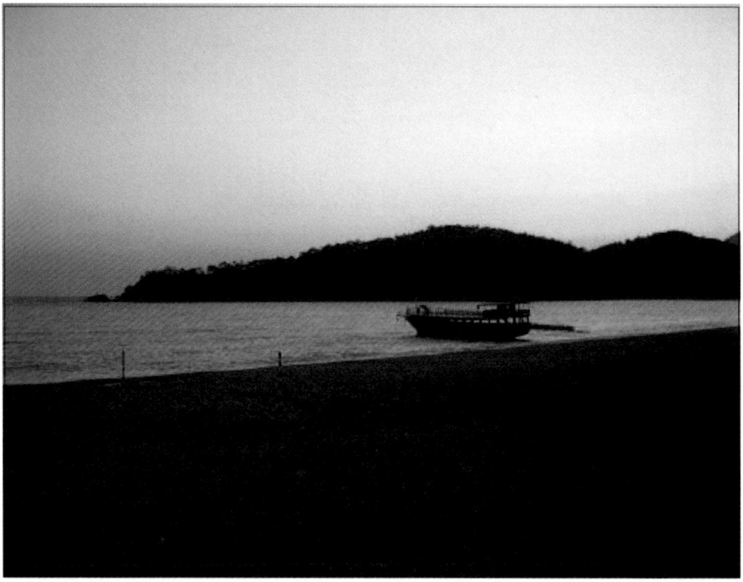

욜류데니즈의 저녁 바다

러글라이딩에 대한 정보를 얻어야겠다.

저녁을 먹는데 민아에게서 전화가 왔다.

다시 보드룸으로 돌아왔다는 것이다.

그리스 섬에 가서 온통 고생만 하고 되돌아왔다고 한다.

내일 저녁 파묵칼레에서 만나기로 했다.

주내는 바닷가 쪽으로 가 패러글라이딩 가격을 물어보고 온다. 해보고 싶은 모양이다.

해수욕장이 아직 개장을 안 하여 패러글라이딩을 많이 하지는 않으나, 하기는 한다면서 1시간 타는데 180달러인데 110달러까지 깎아주겠다고 하는데 그렇다면 할 필요가 없다는 것이다.

내가 밑에서 사진 찍어줄 테니 해보라고 권했으나, 그러지 않아도 10만 원이 넘는 비용에다가 내일 오전을 여기에서 보내야 하기 때문에 그렇게 되면 파묵칼레에 너무 늦게 도착하게 되니 일정상 맞지 않다는 것이다.

결국 패러글라이딩은 생략하고 호텔에 든다.

주내가 패러글라이딩을 하려다 만 것이 아쉽다.

주내가 사양한 이유는 돈이 많이 들기 하려니와 다음 여행 일정 때문이라고 하지만, 그보다는 어쩌면, '죽음의 바다'라는 욜류데니즈에서 패러글라이딩하는 것이 무서웠지 않았을까?

21. 죽음의 바다 욜류데니즈

22. 순경이 차를 세우니 마음은 쫄아들고…….

2007.4.19 목

아침 일찍 호텔을 나와 식사를 하러 페티예 쪽으로 나가기로 했다.

아침 식사 후 바로 파묵칼레로 가려 한 것이다.

다만 가는 도중에 민아가 적어준 나비 계곡(Butterfly Valley)이나 유령의 마을이라는 카라쿄이(Karaköy) 등이 있으면 들렀다 가기로 한 것이다.

아무래도 나비 계곡은 이쪽 산 쪽에 있을 것 같아 나비 계곡을 주로 물어보기로 했다.

다시 산을 넘어 페티예 쪽으로 오면서 사람들에게 나비 계곡을 물어보는데 어떤 이는 이쪽으로 가라 하고 어떤 이는 저쪽으로 가라 한다.

영어를 잘 몰라 의사소통이 잘 안 되는 탓이다.

일단 페티예 쪽으로 가는데 페티예 넘어가는 길목에 순경들 서너 명이 욜류데니즈 쪽으로 오는 차들을 검문하고 있다.

옳거니, 저들에게 물어보면 되겠구나!

차를 세워 놓고 뛰어간다.

"왜, 그러냐?"

"나비 계곡으로 가려 하는데, 어떻게 가야 하냐?"

"0000000 000."

"여기 영어 할 줄 아는 사람 없냐?"

"내가 좀 안다."

욜류데니즈의 바다

순경 중 하나가 나섰다.

"잘 하냐?"

"아니 조금 한다."

"버터플라이 밸리가 어디냐?"

영어를 좀 한다는 순경 역시 '버터플라이 밸리'라는 말을 모르는 눈치이다.

그러나 모른다고는 못하고,

"잠간 기다려봐라."

그러더니 오는 차들을 족족 세우기 시작한다.

저쪽에 오던 차들은 완전 쫄아들어 사색이 되어 가지고 멈칫멈칫거

22. 순경이 차를 세우니 마음은 쫄아들고…….

린다. 순경들이 호루라기를 불면서 차를 세우라 하니 '이거 뭘 잘못해서 딱지를 떼려하는가' 싶었던 모양이다.

차들을 세워놓고 일일이 다가가 묻는다.

"버터플라이 000라는데 아는가?"

"모른다."

모른다면 별 볼일 없다는 투로 지나가라고 신호를 하고는 다음 차로 간다.

"버터플라이 000라는 데 아는가?"

"식당을 말하는가?"

물론 이 말들은 나도 못 알아듣는 터키 말이다.

순경이 나보고

"레스토랑?"

한다.

웬 레스토랑?

어안이 벙벙해하는데 차에 탄 사람이 자기를 따라 오란다.

순경은 오는 차들을 모두 세워 놓고는 저쪽 편에 서 있는 우리 차더러 불법 유턴을 하란다.

주내가 차를 유턴해 오자 "바이, 바이" 한다.

참으로 친절한 순경 아저씨들이다. 이들의 친절에 마음이 황송해진다.

터키가 아니면 언제 이런 대우를 받아보겠나!

앞장 선 차를 따라 욜류데니스 쪽으로 다시 돌아가다가 오른쪽으로 꺾어진다.

페티예 / 욜류데니즈 / 켈록을란

조금 가더니 차를 세운다.

여기란다.

내려서 보니 버터플라이 식당이다. 아까 식당 운운 하더니…….

마침 버터플라이 식당을 아는 사람이 검문에 걸려들어 안내를 해준 것이었다.

고맙긴 하지만 버터플라이 레스토랑이 아니라 우리가 찾는 건 버터플라이 밸리인디…….

아무리 버터플라이 밸리라 해도 밸리가 무슨 말인지 모르는 사람에게는 아무런 소용이 없다.

여하튼 이들의 친절에 감사한다. 무조건 탱큐, 탱큐 그러면서 오케

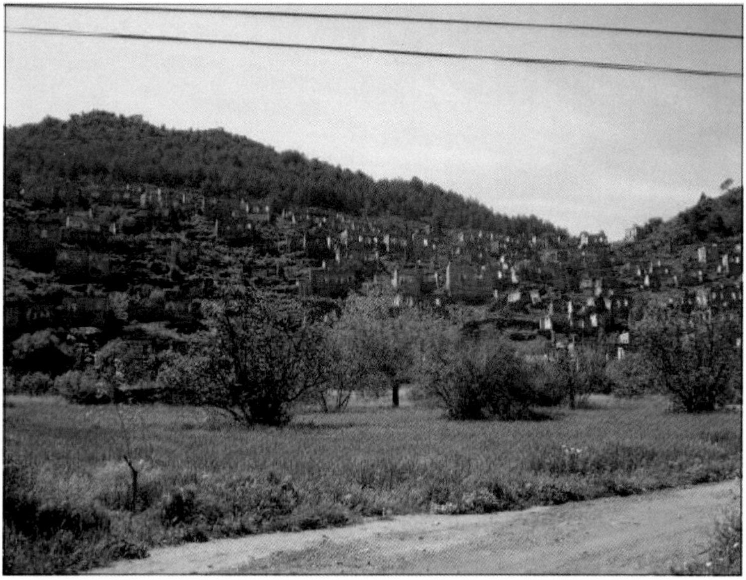

카라쿄이: 유령의 마을

22. 순경이 차를 세우니 마음은 쫄아들고…….

카라쿄이: 유령의 마을

이, 오케이 한다.

도와주려고 안내했던 차는 만족스러운 듯 떠나간다.

저쪽에 마침 우체부가 나타난다.

다가가 나비 계곡을 물어본다.

우체부는 잠간 있으라 하고는 편지 뭉텅이를 들고 따라오란다. 그러더니 미장원으로 들어가면서 사람들을 찾는다.

두 명의 젊은 아주머니들이 나왔다.

손짓 발짓으로 나보고 이 분들과 이야기해보란다.

"버터플라이 밸리를 찾는다."

"버터플라이 밸리는 배를 타고 가야 한다."

“아니 밸리가 바다에 있냐? 산에 있어야 하는 것 아니냐?”

“버터플라이 밸리는 섬에 있다. 보트 투어를 하면 그곳에 갈 수 있다.”

아하, 그렇구나! 괜히 나비 계곡 때문에 시간만 끌은 모양새다.

그런데, 이 아줌마들 영어를 너무 잘 한다.

“그런데 너 영어 정말 잘한다.”

“아, 우리는 영국 사람들이다.”

영국 사람들이라니!

완전히 식모 앞에서 걸레 흔드는 꼴이다. 네이티브 스피커에게 영어도 썩 잘하지 못하는 사람이 칭찬한 셈이다.

“그런데, 버터플라이 밸리 말고도 여기 좋은 데 많다. 카라쿄이는 가보았냐? 여기에서 멀지 않다.”

“안 가보았는데, 카라쿄이가 뭐로 유명한데?”

“카라쿄이는 유령의 마을이다. 한 번 가 보아라.”

종이에 지도를 그려주며 설명을 한다.

그렇다. 이제 나비 계곡 대신에 유령이 산다는 마을이라도 보고 가야겠다.

22. 순경이 차를 세우니 마음은 쫄아들고…….

23. 유령의 마을

2007.4.19 목

차를 그려준 지도대로 카라큐이 쪽으로 몬다.

한 이십분 쯤 갔을까 나무가 우거진 고개를 넘자 왼쪽 산위에 사람이 살지 않는 집들이 나타난다.

오른쪽으로 조그마한 가게가 보인다.

아침 식사를 판다고 되어 있다. 팬케이크가 1.5리라라고 쓰여 있다.

아침이나 먹고 유령을 보든지 유령의 집을 보든지 하자.

주내와 함께 들어가 팬케이크를 시키고, 나는 달걀 4개를 프라이해

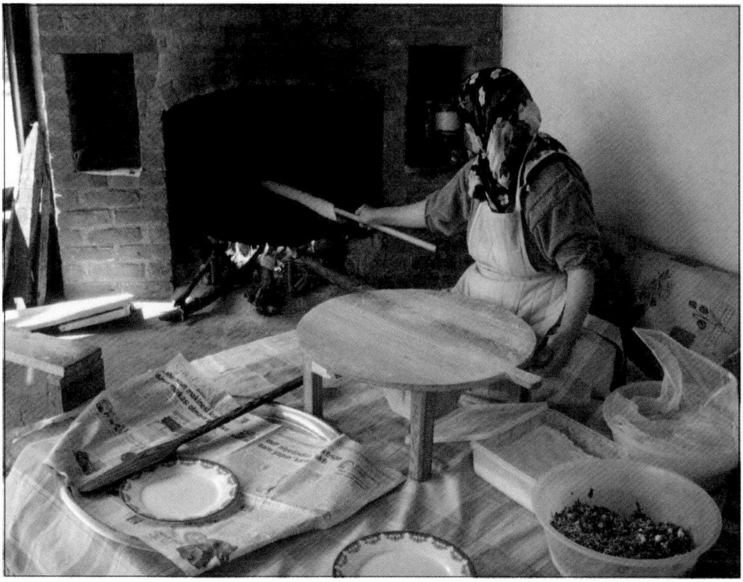

유령의 마을 입구: 팬 케이크 굽기

유령의 마을 입구: 팬 케이크 굽기

달라고 말했는데 알아들었나 모르겠다.

달걀 프라이야 이스탄불에서도 3.5리라 받으니까 비싸야 5리라겠지.

할머니가 반죽을 시작한다. 그러더니 홍두깨로 그것을 얇게 민 다음 그 위에 시금치 삶은 것 같은 것을 두부 으깬 것 같은 것과 섞어서 올려놓고 반으로 접는다.

한편으로는 벽난로에 신문지와 나뭇가지로 불을 붙인다.

그러더니 솥뚜껑 같은 것을 불 위에 얹고는 올리브 기름을 두른 다음 그 위에 지금까지 준비해 놓은 밀가루 반죽을 올려 굽는다.

잠시 후 카라쿄이 식 팬케이크가 완성되고, 이집 할아버지는 달걀을 가져 왔는데 완전히 스크램블해 가지고 왔다.

23. 유령의 마을

할 수 없이 그냥 먹는다.

팬케이크는 먹을 만하다.

빵처럼 구운 팬케이크에 꿀을 쳐 먹는 것을 예상했는데 전혀 새로운 것을 맛보는 셈이다.

물까지 합해서 6-7리라 달라고 할 것을 예상하면서 노인네들이 하는 거니까 그냥 10리라 주어야겠다는 생각과 함께 얼마냐니까, 이 할아버지,

"온(10) 리라"

"왜, 10리라냐? 팬케이크가 1.5리라이고, 달걀이 얼마냐?"

이 할아버지 무조건

카라쿄이: 유령의 마을

"모른다. 10리라다."

무조건 10리라란다.

어차피 10리라 주려고 생각했던 것이니 그냥 내준다.

그렇지만 한편으로 이런 할아버지 모습이 우습기도 한다.

그러고 보아서 그런지 할머니는 후덕한 인상이 너무 좋은데 이 할아버지는 좀 깍쟁이처럼 생긴 것 같다.

10리라 주었으니 더 얹어줄 필요는 없다.

아침을 먹고 유령의 마을로 올라간다.

설명에 의하면 이 마을은 BC 3,000년 전에 살았던 흔적이 있으며, 아직도 BC 3세기경의 석관과 돌무덤이 남아 있다.

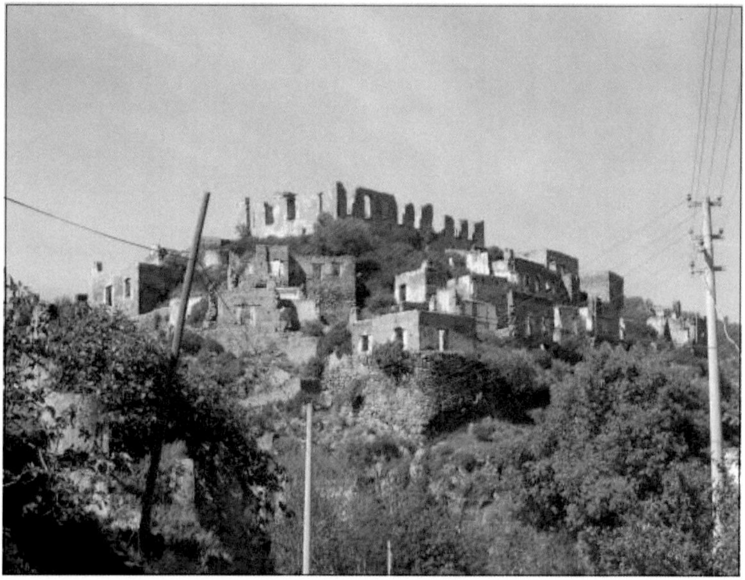

카라쿄이: 유령의 마을

23. 유령의 마을

카라쿄이: 유령의 마을

이 마을은 19세기 후반과 20세기 초에 형성되었는데 터키공화국이 선포되자 이곳에 살던 그리스인들은 서부 트라키아(발칸반도 동부에 있던 고대국가)에 살던 터키인들과 교환되었다.

이로 말미암아 이 마을은 비게 되었는데 나무 구조물들이 폐허화되어 유령의 마을로 변한 것이라 한다.

이 마을엔 2개의 큰 교회와 학교, 한 개의 세관, 그리고 350~400채의 집이 들어서 있다.

산을 오르면서 이집 저집, 그리고 학교와 교회 등을 둘러본다.

약 백 년 전부터 폐허가 되기 시작한 것이지만 무지 오래된 유적처럼 느껴진다.

페티예 / 욜류데니즈 / 켈록을란

사람이 살지 않으면 이렇게 되는 것이다.

유령의 마을을 나왔는데 원래 되돌아가는 것을 싫어하는 성격이니 앞으로 나아가면서 페티야 가는 길이 있나를 살펴본다.

"모든 길은 로마로 통해 있다"는 말이 있으니 이곳에서도 페티예 가는 길이 있을 것이다.

길은 통하기 위해 만들어진 것! 드디어 페티예 표지판을 발견한다.

이곳 유령마을로 들어오는 산길이 아름다웠으나 나가는 길은 더 아름답다.

공원으로 지정해 놓아도 좋을 만큼. 페티예로 나가던 도중 우리는 또 다른 복 거북을 만난다.

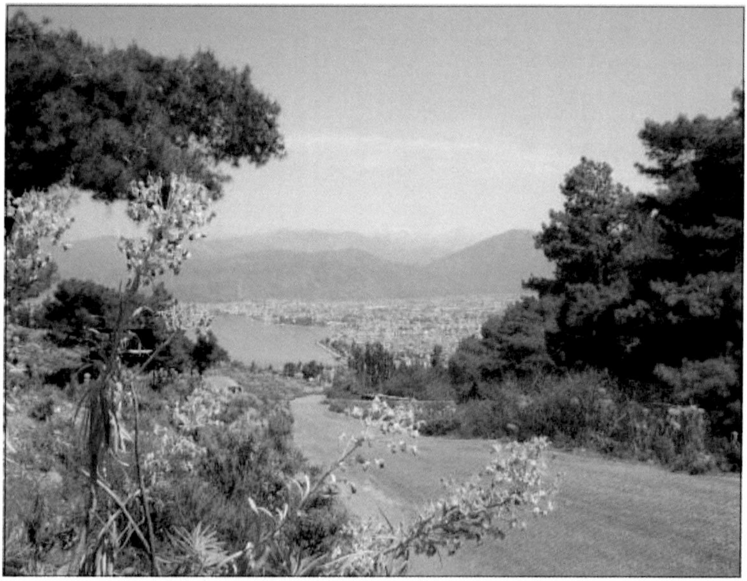

페티예 가는 길

23. 유령의 마을

페티예 뒷산: 아직도 눈을 이고 있다.

이놈은 이전에 만났던 거북보다 겁이 엄청 많은 놈이다.

사람도 그러하듯 거북도 겁이 많은 놈, 뻔뻔한 놈, 점잖은 놈 가지각색인 것이다.

역시 숲이 우거진 고개를 지나니, 왼쪽은 페티예 바닷가, 가운데는 페티예 시내의 붉은 집들, 그리고 그 너머로 높이 솟은 설산이 나타난다.

지도를 보니 산의 높이가 2,741미터이다. 경치가 참 좋다.

24. 순직한 교통순경의 석관이 아닐까?

2007.4.19 목

가파른 고갯길을 돌고 돌아 시내 가까이 이르렀는데, 산의 절벽 바위에 만들어 놓은 사원형 무덤들이 나타난다.

달리얀 운하에서 가 보고 싶었던 무덤이다.

내가 보고 싶어 하는 것을 하느님께서 아셨던 모양이다. 이곳에서 보여주시는 것을 보니.

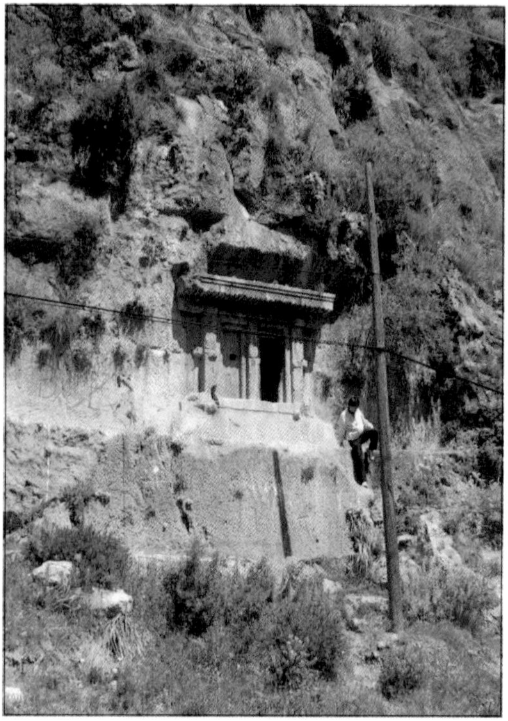

페티예: 절벽 사원형 무덤

가까이에 있는 산 밑 마을 한적한 곳에 차를 세우니 아이들이 몰려든다.

우리가 그렇게 신기하게 생겼나?

주내는 아이들과 이야기를 하고, 나는 절벽 밑을 오른다.

가까이 가 보니 무덤은 무덤이다.

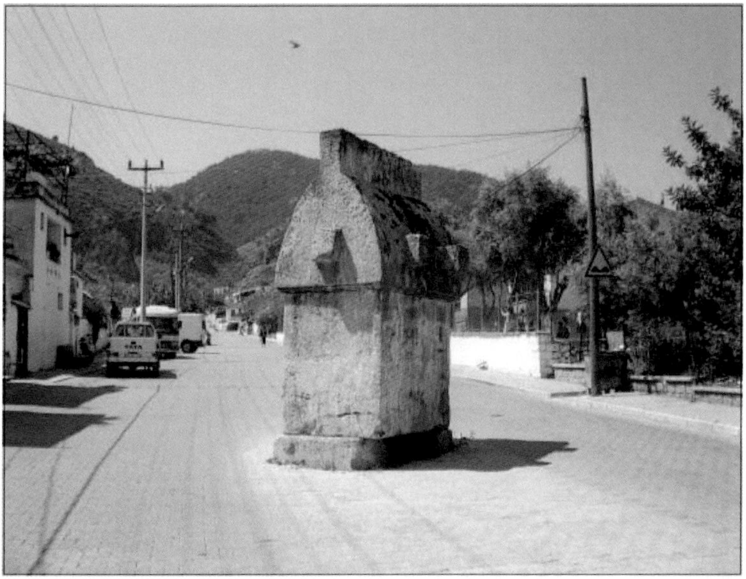

페티예: 길 위의 석관

물론 시신은 보이지 않는다. 3

어떤 무덤에선 어떤 아줌마 하나가 보자기를 깔아놓고 오수(午睡)를 즐기고 있다.

이 더운 날에 시원하기는 할 것이다. 그늘진 바위 속이니. 게다가 그래도 명색이 무덤 아닌가!

무덤 구경을 원 없이 한 후, 이제 파묵칼레 쪽으로 길을 잡는데 길 한 가운데에 커다란 석관이 놓여 있다.

교통 표지판과 함께.

참 재미있는 나라이다.

저 안의 시신은 아마도 먼지와 소음 때문에 잠들기 힘들 것 같다.

페티예 / 욜류데니즈 / 켈록을란

페티예에서 데니즐리 가는 길

어쩌면 순직한 교통순경의 석관이 아닐까?

페티예에서 데니즐리 쪽으로 가는 길은 포장이 잘 된 산길이다.

2,500미터가 넘는 웅장한 산 위에는 흰 눈이 쌓여 있다.

좌우의 경치를 보며 즐기며 가는 길이다. 터키의 전형적인 산골 마을을 보기도 하고, 좌우의 높은 산들을 구경하기도 하고, 그야말로 부담 없는 유람 길이다.

가는 도중에 도두르갈라르 켈록을란(Dodurgalar Keloğlan Mağası) 동굴 표지가 나온다.

터키에 왔으니 동굴도 하나쯤 보고 가야지. 방향을 동굴 쪽으로 튼다.

24. 순직한 교통순경의 석관 아닐까?

도두르갈라르: 데니즐리 가는 길의 산

도두르갈라르 켈록을란 동굴

동굴에 다다르자 관리인이 마중을 나온다.

입장료를 내고 굴로 들어서자 시원하다.

굴은 그렇게 크지 않은 석회동굴이다.

관리인이 따라 들어와 플래시를 비춰준다.

석순과 종유석 등을 보다가 천정을 보니 주먹만 한 박쥐들이 매달려 있다.

살아 있는 박쥐를 보는 것이 처음은 아니지만 매달려 있는 것이 신기하다.

다시 동굴을 나와 데니즐리로 향한다.

동굴 구경에 시간을 너무 끌었나 보다.

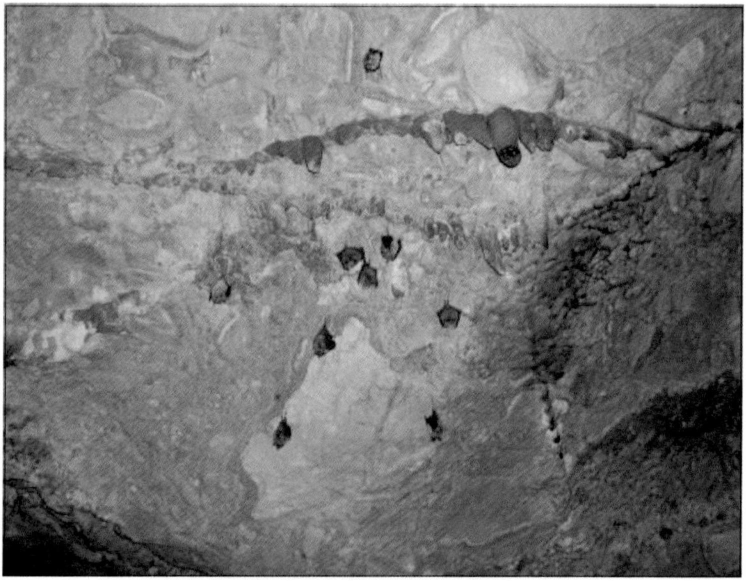

켈록을란 동굴 천정의 박쥐들

24. 순직한 교통순경의 석관 아닐까?

데니즐리 가는 길의 설산

벌써 5시가 다 되어 간다.

민아가 와서 기다릴 텐데…….

그러나 민아가 전화가 없으니 연락할 방도는 없다.

그쪽에서 전화할 때까지 기다릴 수밖에 없는 것이다.

일찍 왔으면 아마도 여관을 알아보고 있겠지. 그리고 전화하겠지.

25. 한국 여자와 결혼한 것은 행운 중의 행운

2007.4.19 목

데니즐리에 다다르니 이 도시 또한 볼만 한 것 같다.

멀리 눈 밑으로 저쪽 편에 자그마한 산들이 이어져 있고 그 밑으로는 호수가 있고 그 너머로 붉은 집들로 형성된 큰 도시가 보인다.

호수 구경을 하고 싶었으나 그냥 파묵칼레로 가기로 했다.

여기에서 30분 정도 더 가야 하니까 말이다.

데니즐리 시내로 들어가 길을 묻자 길을 가르쳐 준다.

도시로 들어가면 길 찾기가 난감한 경우가 많다.

데니즐리

표지판만 제대로 되어 있다면 괜찮지만 어디 그런가!

가르쳐 준 길 쪽으로 가면서도 계속 물어 볼 수밖에 없다.

드디어 파묵칼레(Pamukkale)이다.

파묵칼레에서 파묵은 목화를 칼레는 성(城)을 의미하므로 그 뜻은 목화성이다.

온천물에 칼슘이 녹아내리면서 마치 목화 꽃이 핀 것처럼 보인다 하여 그런 이름을 얻은 것이다.

이 온천물은 섭씨 35도 정도인데 특히 심장병, 소화기 장애, 신경통 등에 특수한 효과가 있다고 한다.

그래서 로마의 황제들도 이 온천을 찾아왔었다는 전설이 전해진다.

멀리서 하얀 성 같은 것이 보인다. 일단 그쪽으로 향한다.

차를 세워 놓고 내리는데 차가 하나 다가오더니 호텔을 찾느냐고 묻는다.

그렇다고 하면서 인터넷에서 찾은 호텔 이름을 보여준다.

그러자 이 사람, 자기 호텔로 가지 않겠냐고 한다.

얼마냐니까 인터넷에서 찾은 호텔보다 싸게 해주겠다고 한다.

방을 일단 보자 하고 따라갔다.

방이 아주 좋다. 전망도 너무 좋고 내부도 깨끗하고 아주 만족스럽다.

호텔 이름은 베뉴스(Venüs) 호텔, 아마도 비너스를 그렇게 발음하는 듯싶다.

조식 포함하여 더블 룸을 30리라(21,000원)에 얻었다. 민아 방은 20리라에 예약을 해 놓았다.

베뉴스 호텔

호텔 식당에서 저녁을 시켜 먹었는데 음식도 맛있다.

전화기를 들고 슬슬 파묵칼레 쪽으로 간다.

인포메이션이라고 크게 쓰여 있는 가게 앞에서 한 청년이 다가온다.

지도나 하나 얻으려고 했더니 차를 한 잔 하란다.

그러면서 자기가 한국 여자하고 결혼했다며 자기 이름은 소렐이라 한다.

"한국 여자와 결혼 한 것은 행운 중의 행운"이라 했더니 "맞다"고 한다.

자식, 복두 많지!

허긴 그렇지 않다고 할 수가 있겠나?

25. 한국 여자와 결혼 한 것은 행운 중의 행운

한국 여자가 예쁘고 훌륭하고 똑똑해서만 그런 건 아니다. 다른 나라 여자들이 워낙 못 생기고, 안 훌륭하고, 띨띨해서 그런 것만도 아니다.

지가 '그렇지 않다'고 했다간 밤에 어찌 될려고? 장담할 수 없는 거다. 후환이 두려운 게다.

한국 여자들의 정보력이란 CIA나 KGB나 MOSAD보다 훨씬 수준이 높다. KCIA도 저리 가라다.

게다가 정보 분석 결과에 대한 고강도 대처 수준은 말로 표현할 수 없을 정도다.

여하튼 반갑다.

호자 할아버지

가게 안에는 호자 할아버지라는 넉넉하게 생긴 분이 앉아 계시는데 한국 사람을 위시하여 많은 사람들이 이 호자 할아버지의 도움을 받았다 한다.

그 증거가 이 집의 유리벽에 잔뜩 붙어 있다.

호자 할아버지는 파묵칼레에 대한 정보, 버스 시간에 대한 정보 등을 주고, 버스표를 팔아 사시는 분으로서 여행 안내 책에도 소개되어 있는 유명 인사란다.

이 분은 결혼을 안 하고 혼자 사신단다.

왜 그러냐니까, 형이 형수와 조카 딸 둘을 남겨놓고 일찍 죽었는데 죽으면서 가족들을 부탁하였다 한다.

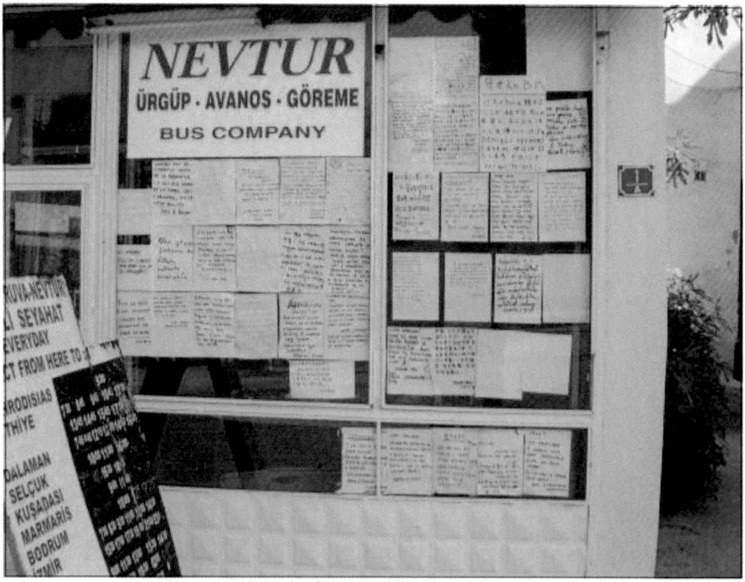

호자 할아버지 가게

25. 한국 여자와 결혼 한 것은 행운 중의 행운

이 할아버지는 부모님과 형수를 모시고 조카딸들을 양육하여 대학까지 보내고 그러다보니 결혼을 못했다 한다.

참으로 형제간에 우애가 깊은 집안이다.

그래서 그런지 민아 같은 아이들을 매우 좋아하신다.

민아한테서는 저녁 8시 반쯤 되어서야 전화가 왔다. 방금 데니즐리에 도착하였다는 것이다.

호자 할아버지는 9시 반쯤 올 거라며 기다리란다.

소렐과 호자 할아버지와 이야기하다 보니 9시 반이 넘었다.

과연 시간이 되자 민아가 나타난다.

민아 얘기로는 그리스 섬으로의 하루 동안 여행이 최악이었다 한다. 허긴 혼자 몸으로 처음 한 여행이었으니 그럴 수도 있겠다.

26. 표를 안 사고 슬쩍 들어간 꼴

2007.4.20 금

파묵칼레 구경은 크게 두 구역으로 나뉘는데, 하나는 네크로폴리스라 불리는 그리스 로마 유적인 히에라볼리와 목화송이가 핀 것 같은 온천의 석회층(Travertines)을 구경하는 것이 그것이다.

온천 쪽에서 걸어 올라가면 히에라볼리까지 갔다가 또 걸어 내려와야 하니까 아예 히에라볼리 쪽에 버스를 타고 가서 걸어 내려오는 것이 편하겠다 싶어 아침 일찍 버스를 탄다.

호자 할아버지가 버스 기사에게 우리를 00에 내려주라고 부탁을 하

히에라볼리: 네크로폴리스

네크로폴리스 가는 길: 꽃밭

신다.

버스에서 내려 보니 저쪽에는 석관들이 보이고 이쪽은 노란 꽃이 만발한 꽃밭이다.

꽃밭 사이로 걷다가 석관 쪽으로 가기 위해 둔덕을 올라서니 저쪽에 입구가 따로 있다.

입구의 매표소 직원이 부른다.

마치 우리가 표를 안 사고 슬쩍 들어간 꼴이 되어 버렸다.

나는 교수 신분증을 먼아는 학생 신분증을 가지고 있어서 다행이다. 학생과 선생은 무료이니 말이다.

무료 표시가 된 학생 표를 다시 받아들고 관 사이를 거닐기 시작한

네크로폴리스의 봉분

다.

주변엔 석관과 돌로 만든 무덤들이 즐비하다.

약 200개 이상의 석관이 놓여 있는 곳이다.

말 그대로 네크로폴리스 곧 주검의 도시이다.

물론 무덤 이외에도 저쪽 편으로는 로마식 목욕탕, 신전, 원형극장 등이 있다.

이것저것 사진을 찍고는 유적들 쪽으로 가는데, 어라, 신라 시대의 봉분이 여기에도 있다.

신라 왕릉보다는 조금 작은데 아랫부분을 돌로 담을 친 무덤이 너덧 기가 석관묘와 석실묘 사이에 있는 것이다.

26. 표를 안 사고 슬쩍 들어간 꼴

설명 표지판을 읽어보니 3세기경인가 4세기경의 로마 귀족의 무덤이라는 것 같은데…….

기억이 가물가물하다.

왜 이들은 석실묘나 석관묘를 쓰지 않고 이와 같은 무덤을 만들었을까?

허긴 석실 위에 흙으로 봉분만 입히면 신라 왕릉과 비슷하게 되니, 혹 다른 석실묘에서 흙이 벗겨져 나간 것은 아닐까?

그렇지만 그것은 아닌 것 같다.

왜냐면 돌로 된 집 모양의 석실묘에는 흙으로 덮었다는 흔적이 전혀 안 보이기 때문이다.

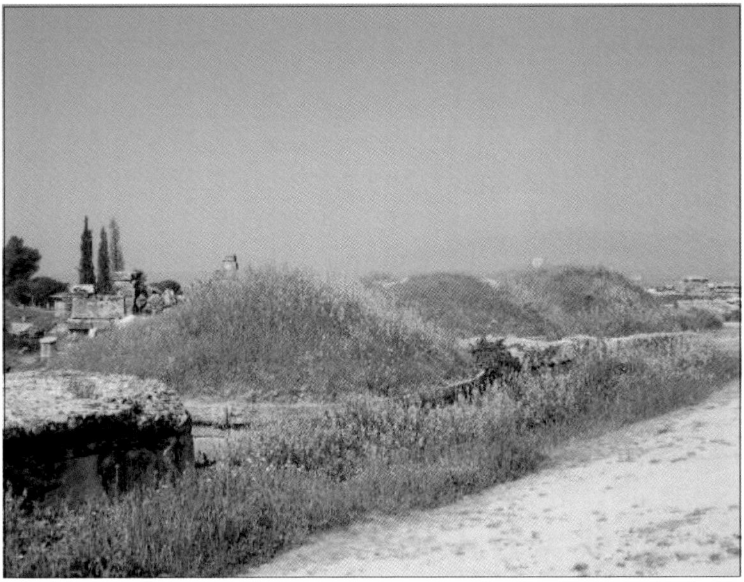

네크로폴리스의 봉분

로마시대의 목욕탕

로마시대의 목욕탕

왕릉 같은 것에서 얼마 안 떨어져 육중한 형태의 바실리카와 로마 시대의 목욕탕이 있다.

히에라볼리는 기원 전 2세기쯤 버가모의 왕 엔메네스 2세에 의해 도시가 형성된 후부터 상업도시로 발전하였다 한다.

이곳은 직조업이 크게 발달하여 양털기술자, 카펫 직조자, 염색 기술자들이 많이 살았다 하며, 일찍부터 초대교회가 설립되었고 로마시대의 유적들과 비잔틴시대의 유적들이 많이 남아 있다.

26. 표를 안 사고 슬쩍 들어간 꼴

27. 목화성

2007.4.20 금

유적들을 대충 훑어가다 보니 이제 온천물에 녹아든 석회가 굳어 계단식 밭을 이룬 석회층에 도달한다.

계단식 석회층은 역시 한 폭의 사진이다.

물의 온도는 섭씨 35도라서 뜨겁지 않다.

발을 담그고 앉아 있으나 너무 볕이 뜨겁다.

석회층에 흐르는 물은 빛에 반사되어 파란 색으로 빛나는데 지금은 물을 많이 흘려보내지 않는다 한다.

파묵칼레: 목화송이 같은 석회석

파묵칼레: 석회층

계속 물이 흐르면 이끼가 끼고, 석회층이 굳기 전에 사람들의 발에 의하여 파손되기 때문에 일부 지역만 물을 흘려보내고 통제한다고 한다.

유명한 석회층보다는 석회층 뒤에 벽처럼 되어 있는 곳이 목화송이가 모여 있는 것처럼 보인다.

석회층에서 노닥거리다가 파묵칼레 뒤쪽의 박물관에 들어간다.

옛날에는 거대한 목욕탕으로 사용하던 것이 이제는 박물관으로 용도 변경된 것이다.

박물관으로 들어가니 정말 시원하다.

박물관 안에는 로마시대의 석관들, 특히 벽면이나 뚜껑에 새겨진 조각상들이 근사한 것들, 그리고 로마 시대의 조각들이 주로 전시되어 있

파묵칼레: 석회층

파묵칼레: 석회층

파묵칼레의 유적온천

다.

그 가운데에는 메두사의 머리를 조각한 석관도 있고, 메두사의 머리를 한 스핑크스도 있다.

다시 나와 박물관 뒤쪽의 수영장으로 간다.

이 수영장에는 로마 유적들이 온천물 속에 잠겨 있는 곳인데 18리라나 받는다.

입장료는 없고, 수영하는 사람만 18리라를 받는다.

들어가서 보니 과연 로마 유적들, 돌기둥, 돌머리 등이 파란 온천물 속에 여기 저기 누워 있고, 사람들은 그 위에서 수영을 한다.

일단 점심시간이 지났으니 돌아갔다가 점심을 먹고 다시 오자.

다시 들어갈 때는 아침에 끊은 표만 있으면 된다.

27. 목화성

파묵칼레: 석회층

파묵칼레 시내

무스타파 씨와 민아

온천 밖으로 나와 로마 유적지를 빙 돌아 석회층을 내려온다.

호자 할아버지가 소개해준 무스타파 씨가 경영하는 식당엘 가서 닭고기 볶음을 시켰는데 매콤한 게 한국사람 입맛에 맞게 되어 있다.

시원한 맥주 한 잔 하고 먹으면 더위가 사라진다.

그러나 닭고기 볶음보다도 더 맛있는 것은 바로 무스타파 씨의 입담이다.

무스타파 씨는 나이가 우리 나이인데 민아 옆에 앉아서 어찌나 각 나라 사람들의 흉내를 잘 내는지 정말 배꼽이 빠져라 실컷 웃었다.

이 양반의 얼굴 표정은 그야말로 천의 얼굴이다.

그 표정과 말투, 동작 하나 하나가 코믹하면서도 각 나라 사람들의 행동 특징을 어찌 그리 리얼하게 잘도 묘사하는지 그야말로 대단하다.

그래서 그런지 이 양반은 TV 방송에서도 촬영을 해가 TV에도 나왔고, 각 나라의 여행 책자에도 소개되어 있다는 이 지역, 아니 전 세계적으로 여행객들에게 잘 알려진 유명인사이다.

연극(실연)을 하는 사람들은 파묵칼레 구경보다도 우선 이 양반에게 와서 한 수 배워야 할 게다.

자기 집에 포도주가 좋은 것이 있으니 저녁 때 와서 한 잔 하라고 한다.

이런 말엔 유독 약하다.

28. 붉은 온천

2007.4.20 금

점심을 먹고 나니 3시가 넘었는데, 뙤약볕에 다시 올라가고 싶은 맘이 없어졌다.

민아는 온천에서 수영을 하여야겠다고 올라가고, 우리는 차를 타고 약 10리쯤 떨어진 파묵칼레 북쪽의 카라하이으트(Karahayıt)로 간다.

카라하이으트에는 크르므즈 온천이 유명하다.

크르므즈는 터키 말로 붉다는 뜻이다. 곧, 붉은 온천인 셈이다.

별로 멀지 않은 곳이라서 금방 카라하이으트 시내에 도달했는데 오

카라하이으트: 크르므즈 용출수

카라하이으트: 호텔 안 크르므즈 용출수

른쪽으로 호텔들이 많이 있다.

호텔 안 용천수(湧泉水)에서 목욕을 하는 사람들이 보인다.

정말로 붉은 색깔의 바위이다.

시내 중심에도 붉은 색깔의 커다란 용천수가 있다.

그렇지만 진짜는 그곳에서 조금, 몇 백 미터 더 내려가면 있다.

담으로 울타리가 쳐진 그곳엔 계단식 석회층으로 된 붉은 색깔의 용천수가 있고, 그 주변은 머드팩과 마사지 받는 곳, 온천욕을 하는 욕실들, 그리고 옷이나 기념품을 파는 가게들이 있다.

색깔이 붉은 색이니 또 다른 맛이다.

붉은 색 석회층 말고도 조그마한 용천(湧泉)이 뜨거운 물을 내뿜는

카라하이으트: 크르므즈 용출수

다.

마셔도 건강에 좋고 피부에도 좋다 한다.

양말을 벗고 발을 담그다가 일어나 용출되는 물을 받아 세수를 하고 일부를 다시 받아 마신다.

물의 온도는 섭씨 56도로서 조금 뜨거운 편이며 철분을 함유하고 있다.

원래 이곳에 올 때에는 온천욕이나 하고 몸을 풀자 하여 왔으나, 이곳 욕실들도 5월 개장을 앞두고 모두 손질 준비에 바쁘다.

단지 마사지 하는 곳만 열어 놓았는데 양쪽 팔뚝이 벌겋게 타 올라 약간 따갑기 시작하여 그만 둔다.

아마도 용출수 앞에서 햇빛 아래 너무 오래 있었나보다.

28. 붉은 온천

카라하이으트: 크르므즈 온천의 붉은 석회층

카라하이으트: 크르므즈 온천

카라하이으트: 크르므즈 온천에서

카라하이으트: 크르므즈 온천

28. 붉은 온천

다시 돌아와 저녁을 먹고는 슬슬 걸어 무스타파 씨 식당으로 간다.

포도주를 한 병 시키고 안주를 하나 시켜 무스타파 씨와 노닥거리는데, 무스타파 씨 호텔에서 묵는다는 한국인 부부가 나타난다.

함께 합석하여 그냥 이 이야기 저 이야기 나눈다.

그런데 이 부부의 인상이 어디에선지 많이 본 느낌이다. 남자도 그렇고 여자도 그렇다.

어디서 보았는지 기억은 나지 않는데……. 분명 어디선가 만났던 사람 같다.

나중에 그러는데 이러한 기분은 주내도 마찬가지였다 한다. 분명 어디선가 본 적이 있는 것 같다고.

아마도 여행지에서 본 것 같긴 한데 아무리 떠올려도 생각이 안 난

카라하이오트: 크르므즈 온천

다.

아까 물어볼 걸.

어쩌면 전생에 지금 한 것과 똑같은 여행을 하면서 본 것을 떠올리는 것은 아닐까? 마치 그런 것 같기도 하다.

어쩌면 우리가 의식하지 못해서 그렇지 똑같은 인생이 계속 반복되는 것은 아닐까? 흐흐흐…….

28. 붉은 온천

29. 조금만 더 길게 내다볼 것을…….

2007.4.21 토

베뉴스 호텔은 너무 좋다.

이번 여행에서 잔 호텔 중 가장 좋은 기억에 남는 호텔이다.

좋은 호텔에서 하루 더 묵자는 데 아무도 이의가 없다.

하룻밤을 비너스 호텔에서 더 보낸다.

아침엔 새소리가 모닝콜 역할을 한다. 원하였던 모닝콜은 아니로되 그래도 타잔처럼 "아아~아아아~" 하는 모스크의 모닝콜보다는 훨씬 낫다.

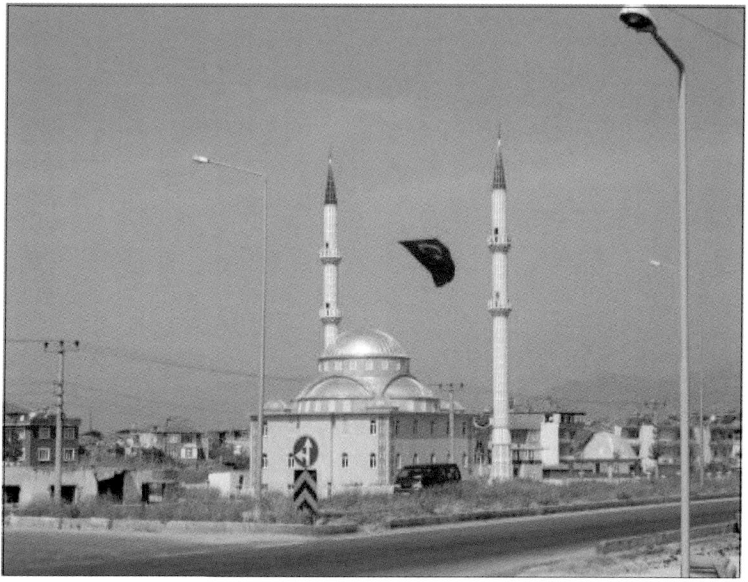

돌아가는 길; 사라쿄이의 모스크

알라세히르 / 게디즈

새소리에 잠이 깨어 창문을 보면 새도 보이고 목화성도 보이고 전망이 참 좋다.

상쾌한 아침이다.

이 호텔에서 매니저처럼 일하는 아가씨는 키가 큰 호주 아가씨인데 여행왔다가 이집 아들한테 코가 꿰어서 이곳에 머물고 있다 한다.

서로 결혼할 사이라는데 어찌나 싹싹하고 친절하고 확실한지 비즈니스 마인드가 보통이 아니다.

이 집으로서는 복이 덩굴 채 굴러들어온 것이나 다름없다.

아침 일찍 이곳을 떠난다.

민아는 어제 저녁 소렐의 집에 가서 저녁을 먹고 왔는데--초대를 받았지만 우리까지 가기에는 너무 부담이 될 것 같아 민아만 보냈다--소렐의 아기가 너무 이쁘다며 인사를 하고 가자 한다.

일단 호자 할아버지에게 인사를 하고 소렐에게 아기주려고 샀던 터키 과자를 부인에게 전해 달라 하고는 악쿄이(Akköy) 쪽으로 가는데 소렐의 집 앞에서 소렐의 한국인 부인이 밖에 아기를 안고 나와 있다.

아마도 소렐이 전화를 한 모양이다.

아기를 안아 주고 "잘 살아야 한다."고 격려해주고 파묵칼레를 떠난다.

이제 부루사(Brusa)를 거쳐 이스탄불로 가야 한다.

가는 길은 경치 좋은 길로 골라잡았는데 하느님의 도시라는 알라세히르(Alaşehir)를 거쳐 부루사로 가서 일박하고 내일 이스탄불에 도착하는 여정을 잡았다.

알라세히르는 BC 150년경 베르가모(Bergamo: Pergamon)의 왕

아탈루스 2세인 필라델푸스가 세운 도시라서 한 때는 필라델피아라고 불렀다는데, 기원 후 17년과 23년에 큰 지진이 일어나 파괴되었다가 로마 황제 디베리우스가 이 도시를 복구하는 데 크게 도와주었다 한다.

이 도시 주민들은 감사의 표시로 로마 황제를 위한 신전을 세웠다는데, 이러한 로마 황제 숭배의 도시에 요한계시록에 나오는 초대 7개 교회 중의 하나가 세워졌다.

민아를 위해서 카라하이으트를 들려 사진을 찍게 하고는 알라세히르로 갔다.

가다보니 요한 교회 표지판이 나온다.

이 교회는 이곳에서 요한계시록을 작성한 성 요한에게 봉헌된 것이

알라세히르: 성 요한 교회 유적

미루나무와 마을

다.

어차피 점심을 해결해야 하므로 길가의 음식점으로 들어갔다. 점심을 먹고 나오며 요한 교회의 위치를 물어보니 시내 쪽이라며 알라세히르를 소개한 책을 한 권 준다.

대충 훑어보니 이곳은 양가죽 제품 이외에도 포도를 재배하여 만든 향수, 화장품, 건포도, 포도주 제품들이 유명하다고 소개되어 있다.

이 도시의 이름이 하느님의 도시라서 술은 없을 줄 알았는데 의외로 포도주가 유명하다니 하나 사 가야되겠다.

기독교 초대 교회인 성 요한 교회로 가 보니 육중하게 생긴 커다란 벽돌 기둥만 남아 있다.

29. 조금만 더 길게 내다 볼 것을…….

다시 길을 재촉하여 쿨라(Kula)로 가는 지름길을 잡아 산을 넘어 간다.

가는 길은 전형적인 터키 농촌 풍경이다.

낮게 깔린 붉은 지붕의 집들이 미루나무 뒤에 모여 있다.

한편 돌로 된 낮은 담장을 밭 둘레에 둘렀는데 아마도 동물들이 못 들어가게 하기 위한 것인 듯하다.

산을 넘어 쿨라로 가면서 생각하니 포도주를 안 샀다.

이런!

건망증이 생긴 건지 금방 생각했다가 금방 잊어버린다.

쿨라에서도 포도주를 팔겠지 싶어 쿨라로 가서 슈퍼마켓을 찾는다.

전형적인 터키의 산촌 풍경

슈퍼에 들어가 보니 건포도가 무척 맛있게 생겼는데 무척 싸다.

건포도를 2kg씩 두 봉지를 사고는 포도주를 물어보니 어떤 사람이 앞장서서 포도주 파는 곳으로 안내해준다.

포도주를 한 병 사 가지고 다시 길을 떠난다.

예니세히르(Yenişehir)를 지나 게디즈(Gediz)로 가다보니 길가에 장이 서 있다.

차를 세우고 시장 구경을 한다.

크게 볼 것은 없어도 시장 구경은 언제나 재미있다.

여기에서도 채소 등 몇 가지를 산다. 그리고 또 간다.

이럭저럭 부루사까지 가는 데 시간이 꽤 걸렸다.

예니세히르 지나서: 산 주름

29. 조금만 더 길게 내다 볼 것을…….

시장 구경

부루사에서 하루 자고 가려 하였으나 호텔 찾기가 쉽지 않다.

아마도 산 밑의 유원지 근처에 가면 호텔들이 많이 있을 텐데 그냥 지나쳐 도시까지 들어온 곳이다.

일단 저녁을 먹기 위해 차를 세우고 식당을 묻는다. 물어물어 닭고기 파는 곳을 찾아 또 닭을 잡아먹는다.

벌써 시간은 컴컴해져서 밤 9시이다.

호텔을 잡아서 자고 내일 떠나야 피곤이 쌓이지 않는데 주내나 민아나 그냥 밤새 달리자 한다.

갑자기 하룻밤 숙박비가 아까워진 모양이다.

그렇지만 이스탄불에서 여기로 놀러오려 한다면, 일부러 많이들 놀러 오기도 하는데, 그 비용은 아깝지 않은가?

생각을 조금만 바꾸면 돈도 절약하고 몸도 편할 것을!

사람들은 목전의 이익만 생각할 뿐 앞을 내다보지 않는다.

단기적 편익만 옳은 것인 줄 착각하고 장기적 편익은 계산을 못하는 경우가 많다.

모두 집으로 가는 걸 원하는데 어쩔 수 없다.

결국 가다가 호텔을 만나면 자고 가고, 그렇지 않으면 그냥 가기로 합의를 본 후 주내가 차를 몰았는데 호텔은 어디로 갔는지 보이지 않는다.

몸은 녹초가 되어가고…….

게디즈 지나서: 산자락

29. 조금만 더 길게 내다 볼 것을…….

결국 이스탄불에 도착한 것은 다음날 새벽 2시였다.

집에 무리하여 온 것까지는 좋았는데 다음날부터 한 5일 정도는 너무 힘들었다.

참으로 미련한 짓을 한 것이다.

원래 계획대로 부루사의 경치를 감상하고 하루 더 쉬다 왔어야 했다.

계획은 잘 세웠는데…….

젊은이들이야 밤을 새우던 조금 무리를 하던 몸이 금방 회복되지만, 나이가 들면 그 후유증이 너무 오래 간다.

쌓인 피로가 한계치를 넘어서면 회복에 시간이 더 걸리는 것이다.

내 몸은 내가 잘 알아서 관리해야 한다.

결국 "내 탓이오"다.

이제 몸이 힘들면 다른 사람 말을 안 듣고 절대 무리를 안 하겠다고 굳게 결심한다.

30. 고난의 산물-오아시스

2007.4.27 금

저녁을 햄버거로 때우고 밤 9시 베식타시에서 버스터미널로 가는 미니버스를 기다린다.

메트로라는 버스 회사인데, 규홍이라는 학생 말로는 새 버스회사로서 조금 비싸지만 차가 새 차라서 좋을 것이라 한다.

8시 50분까지 오라고 해서 8시 50분부터 기다리는데 9시가 넘어도 미니버스는 오지 않는다.

9시 20분이 지나서야 버스가 온다.

이스탄불 교외: 봉분이 보인다.

옆 사람에게 물어보니 늘 그렇다는 것이다. 역시 터키인들은 느긋하다.

탁심을 돌아 악사라이 쪽의 버스 터미널(Otogar)에 도착하니 10시 15분이다.

10시 15분에 카파도키아로 출발하는 버스로 갈아타야 하는데, 카파도키아 가는 버스 역시 아직도 안 왔다.

날씨는 무척 차다.

한참을 기다린 다음 10시 40분쯤 버스를 탄다.

차는 이스탄불의 야경을 뒤로 하고 달리는데, 좌석에 앉아 잠을 자려 하였으나 좌석이 불편하여 잠이 안 든다.

터키는 버스가 발달하여 서비스도 좋고 밤에도 편히 자면서 갈 수 있다고 들었는데, 고급 버스이긴 하나 좌석간 간격이 넓을 뿐 누워 자기에는 역시 불편하다.

간격이 넓은 것은 아마도 넉~넉한 터키인들의 체격 때문일 것이다.

서비스도 좋기는 한데 이는 버스회사들 사이의 경쟁 때문이라 한다.

버스에는 남자 차장이 있어 물, 콜라, 커피, 차 등을 준다. 카스테라도 하나씩 주고.

그러더니 이제 불을 끈다.

벌써 12시가 넘었다.

내일 아침 8시에 도착하니 잠을 자야 하는데…….

네브세히르(Nevşehir)에 가는 동안 세 번인가를 서는데, 한 번은 이스탄불의 아시아 쪽에서 손님을 태우기 위해서는 것이고 두 번은 버스 휴게소에서 서는 것이다.

휴게소에서는 화장실을 이용하거나 차를 마시거나 간단한 식사를 할 수 있는데 우리나라의 휴게소와 거의 같다.

휴게소에서 20분 정도의 시간을 준 다음 다시 버스가 출발하면 버스 차장은 또 물을 준다.

차 안이 건조하니 물을 마셔 두는 것이 좋다.

그리고는 레몬 향기가 나는 물을 손에 따라 준다. 아니 물이 아니라 알코올이 섞인 화장수일 것이다. 쉽게 증발하는 것을 보니.

허리가 안 좋은 나로서는 버스 속에서 밤을 보내는 것이 너무 힘들다.

밤 버스도 편하다는 말만 믿고 탔으니…….

그러나 어쩌랴!

괴뢰메 가는 길: 호수

30. 고난의 산물-오아시스

3,768미터의 설산 하산닭(Hasandağ)

버스에 난방을 하니 공기가 건조해지고 난방을 끄니 약간 춥다.

다행히 오기 전에 옷을 하나 더 껴입었기에 다행이다.

그러나 쉽게 잠이 들지는 못한다.

두 번째 휴게소를 출발한 후 비몽사몽간에 눈을 뜨니 날은 밝아오고 오른 쪽으로는 호수가 눈에 보인다.

평야 지대에 펼쳐져 있는 엄청 큰 호수인데 가장 자리엔 소금인지 허연 것들이 보인다.

왼편으로는 100미터가 채 안 되는 얕은 산들이 구릉을 이루어 이어진다.

다시 눈을 붙여보나 몸은 고단하고 날이 밝아 다시 잠들지는 못할

3,768미터의 설산 하산닭(Hasandağ)

거 같다.

정신만 몽롱한 상태로 창밖을 보니 이번에는 오른쪽으로 멀리에 설산이 장엄하게 펼쳐져 있는 것 아닌가?

호수에 이어 이번엔 설산이다. 설산이 너무 아름답다.

아마도 너무 피곤하여 잠을 설친 까닭에 환상 속에서 신기루를 보는 것 아닌가?

그러나 하얀 눈이 가득한 산이 저 멀리 서 있는 것은 엄연한 사실이다.

나중에 지도를 보니 하산닭이라는 3,768미터의 높은 산이다.

30. 고난의 산물-오아시스

꿈속에 뵈는 건가 실제로 보았는가
갑자기 우뚝 솟은 설산이 웬 말인가
전생의 빈터에 세운 망부석은 아닐까

찬바람 세월 속에 누구를 기다리나
그리움 굳게 쌓여 머리가 세었구나
억만겁 윤회 속에서 잘난 인연 찾으리

버스는 거의 정확하게 8시쯤 네브세히르에 도착한다.
출발은 늦어도 도착은 정확하다.
미니버스로 갈아타고 카파도키아의 괴뢰메로 향한다.

31. 사랑받는 산, 괴뢰메

2007.4.28 토

카파도키아(Cappadocia)는 아나톨리아 반도의 중동부를 일컫는 고대 지명인데 이 말은 페르시아어의 "Kapatuka"에서 나온 말로서 "좋은 말의 고장"(country of thoroughbred horses) 이라는 뜻이라 한다.

이 지역에는 수많은 지하 동굴이 있는데 많을 때는 약 200만 명이 거주하는 지하도시가 형성됐다고 하며, 발견된 지하 교회만 해도 천여 개로 추정된다.

BC 6세기경 카파도키아는 페르시아의 지배를 받았고 조로아스터교

카파도키아: 좋은 말의 고장

괴뢰메 풍경

가 널리 퍼져 있었으나, BC 190년 로마가 마그네시아에서 승리를 거둔 이후부터 로마의 속국이 되었고, 비잔틴 시대에는 당시 성직자들의 은둔 생활 풍조에 따라 많은 석굴 수도원이 건설되었다.

이 지역은 화산 활동으로 인해 화산재가 엉겨 붙어 생성된 바위들이 원뿔꼴로 솟아있는 기이한 형태의 지형을 만들어 냈는데, 가운데에 구멍이 난 것, 패인 것, 일부러 그곳을 파내어 방을 만들거나 곳간을 만든 것 등 다양한 형태가 있다.

한마디로 말해서 이 지역은 기이한 자연 조각품들이 모여 있는 곳이라 할 수 있다.

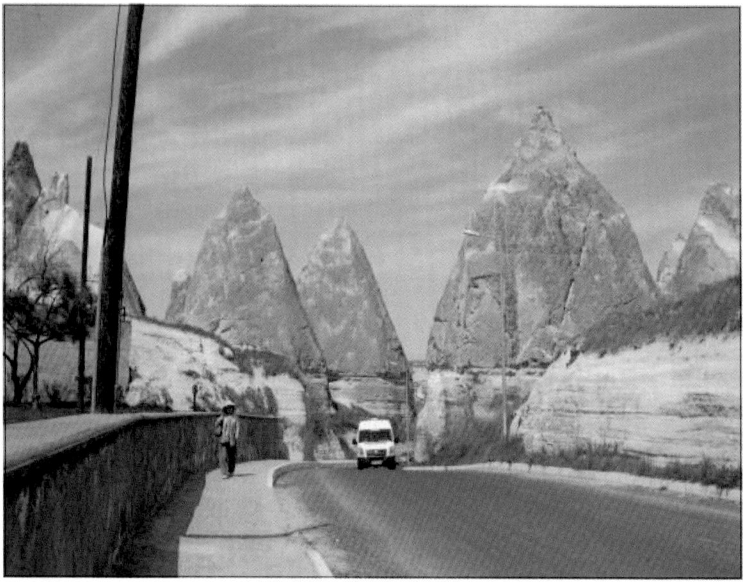

괴뢰메 풍경

그 가운데에서도 가장 유명한 곳이 괴뢰메이다.

지금 괴뢰메로 가고 있는 것이다.

'괴뢰메"(Göreme)는 '사랑받는 땅'이라는 뜻이라는데 말 그대로 사랑받을 수 있는 땅인 거 같다.

이 말의 어원을 살펴보면, 역시 우리 옛말이 숨어 있음을 알 수 있다.

괴뢰메의 '괴'는 '괴다'('사랑하다'의 옛말)의 '괴'이고, '뢰'는 잘 모르겠지만 아마도 미래를 나타내는 'ㄹ'에 해당되는 것 아닐까 생각되며, '메'는 우리 옛말로 산을 뜻하는 것이니, 괴뢰메는 '괼메' 곧 '사랑받을 산'이라는 뜻 아니겠는가?

31. 사랑받는 산 괴뢰메

이를 볼 때 괴뢰메는 터키인이 이주한 이후 붙인 지명일 것이다.

네브세히르에서부터 벌써 지형이 이상한 곳이 눈에 뜨인다.

미니버스가 출발하여 5분쯤 가니 사진에서 보았던 환상의 공간이 펼쳐지기 시작한다.

모두들 잠에서 깨어 입을 쩍 벌린다.

15분쯤 지나 정확하게 8시 반에 괴뢰메 버스 정류장에 도착한다.

미니버스를 안내해주던 청년이 우리에게 한국 사람인가 묻는다.

그러더니 금방 "안녕하세요?" 등 몇 가지 한국말을 섞어 호텔을 안 정했으면 자기 사촌이 경영하는 호텔을 소개해주겠다 한다.

자기 사촌이 한국 여자와 결혼해서 호텔을 운영한단다.

괴뢰메 풍경

더블 룸 가격을 물으니 그것은 모르겠고 도미토리는 일인당 7리라(5,000원)라 한다.

가격이나 물어보아 달라 했더니 조금 후에 한국 여자와 결혼한 청년이 차를 끌고 나타났다.

이제 호텔들과 가격들을 인터넷으로 뽑아 왔으나 무용지물이 되었다.

코가 꿰어 마른 케이브 펜션에 짐을 풀었다.

방은 여기저기 손 볼 곳이 있으나 그런대로 지낼 만은 하다.

아래층에는 한국 학생들이 묵고 있는 침대가 여러 개 놓여 있는 숙소가 있고 식당이 있다.

괴뢰메 풍경

31. 사랑받는 산 괴뢰메

마론 케이브 펜션

그리고 호텔 이름 그대로 화산재로 된 봉우리 속에 굴을 뚫고 방이 마련되어 있으나, 그 안에 들어가 보면 그것이 동굴인지 잘 느껴지지는 않는다.

32. 똘똘한 공무원은 빨리 본청으로 보내야 하는 건데…….

2007.4.28 토

비몽사몽간에 피곤한 몸에 일단 주린 배를 채워야겠다 싶어 호텔 안주인이 추천해준 S&S 식당으로 간다.

괴레메 야외 박물관(Göreme Open-air museum) 입구에 있다는데 길을 잘못 들어 엉뚱한 곳으로 향하다 물어보고 다시 되돌아선다.

우뚝우뚝 솟은 원추형 봉우리들 사이로 집들이 들어서 있고 봉우리들마다 구멍을 파놓아 일부는 방으로 사용하는 모습이 기괴하기도 하다.

괴뢰메 야외박물관 가는 길

괴뢰메 시내

이것저것 보면서 식당을 찾는데 터키 아이들은 모두 신기한 눈으로 우리를 바라보다가 눈이 마주치면 더러는 수줍어서 식 웃고 돌아서고, 더러는 “할로우”하던가 “곤이찌와” 그런다.

한 무리의 아이들이 다가와 사진을 찍자고 한다.

저들의 눈에는 우리가 신기한 모양이다.

원래 같은 뿌리이거늘, 저들은 피가 섞여 서구화 되어 있고, 주변에 백인들, 아랍인들이 많으니 우리 모습이 신기한 것이다.

우리가 지들의 조상 모습이거늘…….

어쩌면 칼 구스타프 융이 말하는 집합적 무의식 속에 자기네들 한 쪽 조상의 모습이 남아 있어 그런 것은 아닐까? 아마도 논리의 비약일

괴뢰메 피젼밸리 굴집

지는 모르지만.

결국 익숙하지 않은 것은 신기한 것이다. 경치도, 사람도…….

우리는 저희들 구경거리, 저들은 우리들 구경거리, 뭐 그런 거다.

사람들은 늘 자신에게 익숙한 것에 길들여져 있어 그것이 편하다고 느끼지만 그것도 시간이 지나면 어느 덧 지겨워진다. 일상이 고루해진다. 덧없이 느껴진다.

이럴 때 여행은 일상에서의 탈출이다. 새로운 것을 추구하는.

그렇지만 우리가 맞닥뜨리는 새로움 앞에서 우리가 오히려 새로워지는 지는 것이다.

그리고 기꺼이 이렇게 즐거이 구경거리가 되어 주는 것이다.

32. 똘똘한 공무원은 빨리 본청으로 보내야 하는 건데…….

S&S에서 이곳에서 유명한 항아리 케밥을 시켜 먹는다.

안에 든 재료는 새우로 선택했는데 버섯과 새우가 듬뿍 든 된장국 같은 것이 맛이 있다.

사람들도 좋고.

괴뢰메 야외 박물관은 입장료가 10리라(7,000원)이다.

이곳 직원은 똑똑하다.

학생은 공짜인데 선생은 돈을 받는다고 한다.

"터키에서 선생은 학생과 마찬가지로 돈을 안 받는다. 지난주에 이즈밀, 에페스 등 다른 박물관에서도 안 받았다."

고 했더니 프린트물을 들고 나온다. 2007년 4월 1일자로 선생한테

항아리 케밥

는 돈을 받는다는 법령이 시행되니 받아야 한다는 것이다.

그러나 그 문서에서 확인할 수 있는 것은 2007. 4.1 등 숫자뿐이고 나머지는 터키어이니 알 수가 있나?

그 가운데 오렌지(Ögrenci), 요구르트맨(Öğretmen) 등이 나온다.

원래 발음은 욁렌지이고, 욁레트멘이겠지만, 우리는 그냥 오렌지, 요구르트맨으로 부른다.

그래도 다 알아 듣는다.

터키 어느 지역의 사투리로 생각하든지 외국인이니 그러려니 하든지 우리는 상관없다.

외우기 좋고 발음하기 편하면 되니까. 여하튼 오렌지는 학생이고 요

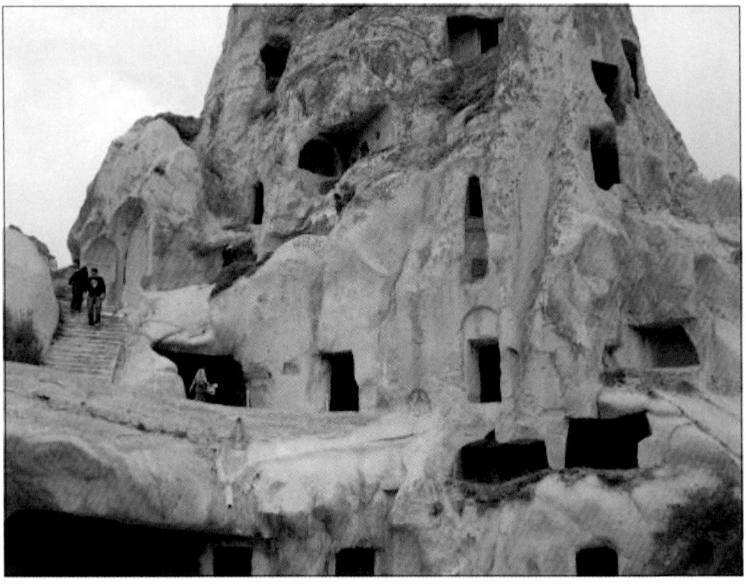

괴뢰메 야외박물관의 굴집

32. 똘똘한 공무원은 빨리 본청으로 보내야 하는 건데…….

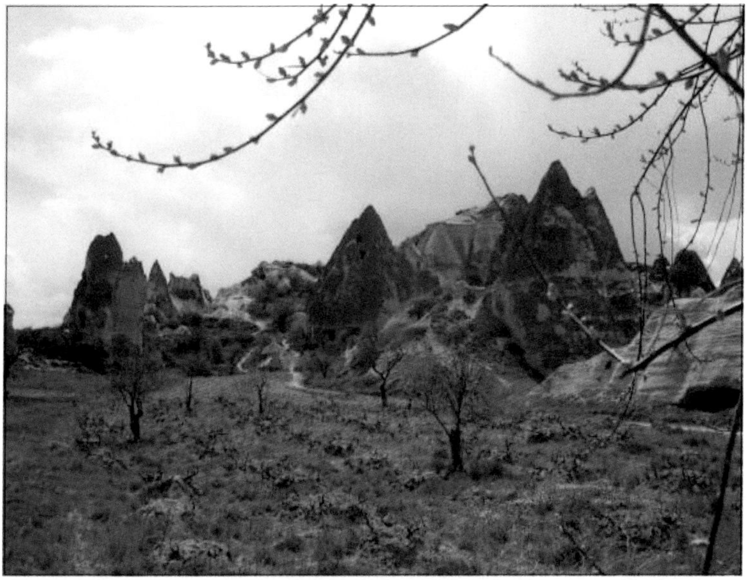

괴뢰메 야외박물관

구르트맨은 선생이라는 것 정도는 우리도 안다.

문서에서 요구르트맨을 찾아 가리키니 고등학교 선생까지 무료라고 쓰여 있는 것이라며 대학 교수는 돈을 내야 한다고 한다.

그러나 그것까지는 내가 읽을 수가 없다.

허긴 이 사람이 돈을 받는다고 해도 그것이 그 사람 수입은 아닐 터이고, 설마 거짓말을 할 리는 없을 터이니……. 게다가 교수 체면도 있고…….

돈은 냈으나 지금까지 안 내던 돈을 내려니 억울한 생각이 든다.

사람 마음은 이런 것이다.

법령이 바뀌었는데도 지금까지 안 냈으면 그것을 즐거워하고 고마워

괴뢰메 야외박물관

해야 하는데 마음은 정 반대이니…….

정부의 정책이란 것도 마찬가지이다.

좀 더 평등한 법을 제정하면 지금까지 특권을 누려왔던 사람들이 그 동안에 누린 특권만 해도 황송해 하고 감사히 여겨야 하는데, 계속 기득권에 안주하여 불평을 하게 마련인 것이다.

그것은 기득권이 원래 자기 것인 양 착각함으로써 빼앗긴다고 생각하기 때문이다.

원래 자기 것이 아닌 데, 그래서 원래로 돌아가는 것임에도 그것을 인정하고 싶지 않은 것이다.

모든 세상살이가 그러한 것이다.

32. 똘똘한 공무원은 빨리 본청으로 보내야 하는 건데…….

"일단 내 거는 내 거!"

"누가 준 것인데?"

글쎄?

대부분은 부모로부터, 사회로부터, 우리가 모르는 그 무엇으로부터 받은 혜택일 뿐 내 자신의 노력은 아주 조그마한 일부분일 따름인데도 그것이 전부인 양 착각하는 것이다.

사실은 자신이 노력할 수 있는 바탕 자체도 하느님이 주신 것이거늘 자기 자신이 원래 잘나서 그러한 줄 안다. 감히 감사할 줄 모르고.

참으로 나라를 위하여 열심히 일하는 똑똑한 공무원을 만나 10리라를 더 내야 했다.

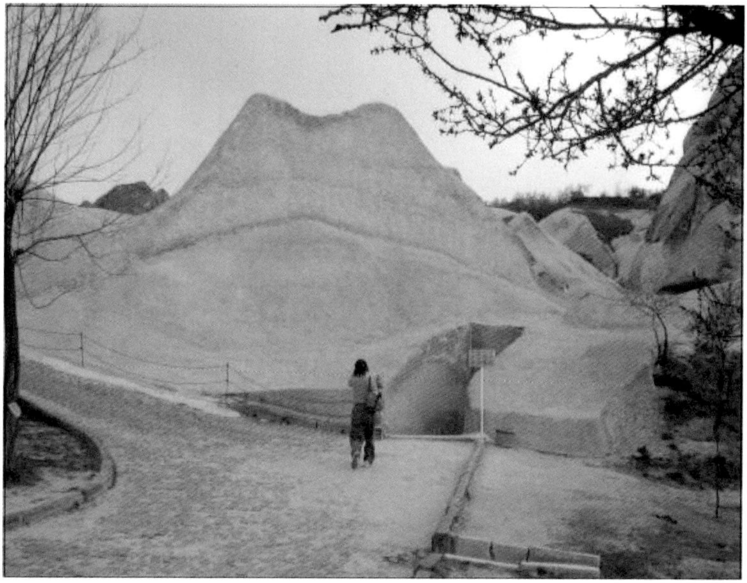

괴뢰메 야외박물관

이런 공무원은 빨리 진급시켜 본청으로 올려 보내야 하는 건데…….

터키 관광청 장관에게 이런 훌륭한 공무원은 빨리 진급시켜 본청으로 데려가라고 건의라도 해야겠다.

32. 똘똘한 공무원은 빨리 본청으로 보내야 하는 건데…….

33. 사과는 어디에 있나?

2007.4.28 토

카파도키아에는 옛날부터 사람들이 살았지만 이곳의 자연 지형을 가장 효과적으로 이용한 사람들은 바로 기독교인들이다.

여기에는 1년 365일에 해당하는 365개의 암굴 교회가 있었다고 전해지는데 현재 약 30개의 암굴 교회만 괴뢰메 야외박물관(Open Air Museum)이란 이름으로 공개되고 있다.

이들 교회들은 밖에서 볼 때 거의 사람이 거주한다는 흔적을 찾아내기 어렵지만 내부는 거의 프레스코 벽화로 장식되어 있고 이 프레스

괴뢰메 야외박물관

괴뢰메 동굴교회에서 내다본 광경

코화가 유명한 것이다.

그러나 대부분의 벽화들은 예술적 가치를 부여하기 어려울 정도로 약간 서툴고 조잡한 형태를 띠고 있다.

돈을 내고 들어왔으니 일단 책에 쓰여 있는 교회들을 순방해야 안 되겠나?

우선 성 바실 예배당(Basil Şapeli: Chapel of St. Basil)을 보고, 사과 교회(Elmalı Kilise: Apple Church)로 들어간다.

가운데 회중석(會衆席)의 천사 가브리엘이 사과를 쥐고 있다는데 도저히 못 찾겠다.

그래서 사과 교회라는 이름이 붙었다는데 말이다.

33. 사과는 어디에 있나?

결국 문을 지키는 공무원에게 물어보니 한 곳을 가리킨다.

그러나 손에 든 것은 사과가 아니라 하얀 공 같은 것이다.

사과가 아닌 것 같다고 하자 사과를 형상화한 것이라며 웃는다. 벌거벗은 임금님은 순수한 아이의 눈에서만 그렇게 보이는 것이 아니지만, 죄 많은 어른들은 옷을 입었다고 억지로 인지하는 것처럼!

비록 지록위마(指鹿爲馬)는 아닐지라도, 사람들은 무엇인가 자기들이 주장한 것을 정당화시키려는 면이 있으니, 그렇게 이해하고 따라 웃으며 넘어가 준다.

사실 사과니 아니니 따지고 들어봐야 무슨 소용이 있으리오!

그렇지만 세상엔 이런 걸 가지고 시비 거는 사람들이 꼭 있다.

이 경우엔 그냥 그 말을 인정해줘야 시비가 끝이 난다

자꾸 우겨

프레스코화

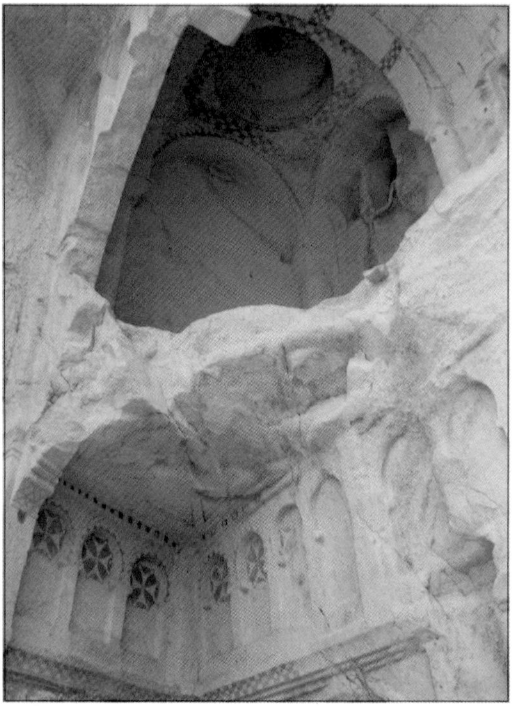

괴뢰메 동굴교회

봐야 결국 "말하는 태도가 나쁘니 어쩌니……", 본질은 왜곡되고 엉뚱한 데로 시시비비가 흘러가게 되는 것이니.

요건 순전히 내 경험에서 우러나오는 소리다.

반성한다!

여행을 하다보면 이렇게 별거 아닌 것이 자신을 되돌아보게 만들고 반성을 통해 사람 되게 만들어 준다.

성 바바라 예배당(Barbara Şapeli: Chapel of St. Barbara)은 단순한 아름다움을 보여주고, 뱀 교회(Yılanlı Kilise: Snake church)는 11세기 프레스코화가 유명하고, 그 옆의 수도원 식당(Refectory)에는 바위를 깎아 만든 식탁, 벤치, 사다리, 벽장, 부엌 및 포도즙을 낼 때 쓴 테이블 끝의 물통을 눈여겨보라고 책에는 쓰여 있으나 범인(凡人)의 눈에는 그게 그거다.

33. 사과는 어디에 있나?

한편 어둠의 교회(Karanlık Kilise: Dark church)는 말 그대로 창이 적어 프레스코화가 그대로 보존되어 있는 곳이라 한다.

따라서 특별 입장료를 다시 내고 들어가야 하는데 프레스코화에 큰 관심이 있는 것도 아니고 보아도 잘 모르겠고, 그러니 가욋돈을 내고는 보고 싶지 않다. ……

마치 아이들이 붉은 물감으로 벽에 사람들을 그려놓고 십자가를 그려놓고 뭐 그런 것 같다.

허긴 오랜 세월 동안 변색되지 않고 남아 있다는 것은 신기한 일이긴 하겠으나 지금까지 실컷 보았는데 뭐…….

이 이외에도 성 캐타린나 예배당(Azize Katarina Şapeli: Chapel

괴뢰메 동굴교회 프레스코화

of St. Chatherine), 짚신 교회(Çarıklı Kilise: Sandal church) 등이 있으나 전부 비슷비슷하다.

밖으로 나오면 죔쇠 교회(Tokalı Church: Buckle Church)가 있는데 이 교회는 가장 큰 잘 생긴 10세기 교회로서 2개의 큰 예배당과 2개의 작은 예배당, 그리고 역시 멋진 프레스코화가 있다.

이것은 어차피 돈을 낸 것이니 보고 가야겠다.

결국 프레스코화도 보고, 동굴 안의 식탁도 보고, 와인 저장하는 다락도 보고……, 볼 것은 다 봤지만, 그것보다는 주변 경관이 더 마음에 들고 신기하다.

뾰족뾰족한 봉우리들이 신기하다. 마치 동화의 나라처럼.

수도원 식당의 바위를 깎아 만든 식탁

33. 사과는 어디에 있나?

수도원 부엌

프레스코화에 전문이 아닌 사람들은 괜히 돈 내고 야외박물관(Open-Air Museum)에 들어가는 것보다는 돈 안 내고 주변 구경을 열심히 하는 것이 훨씬 나을 것이다.

야외박물관 맞은편으로는 로스 밸리와 레드 밸리가 펼쳐 있으니 그 속으로 들어가 걸으면서 구경하고 사진 찍고 그러는 것이 훨씬 좋을 거라 생각한다.

사실 괴뢰메 지역의 관광은 각종 계곡을 걸어 다니며 보아야 제 맛인 것이다.

계곡마다 약간의 특성이 있기 때문에 며칠씩 하이킹을 해도 괜찮을 듯하다.

34. 굴뚝바위, 버섯바위, 촛대바위

2007.4.28 토

일단 야외 박물관을 나와 버스를 타고 버섯 바위 형태가 많이 나타난다는 파샤밝(Paşiabağı)으로 가 보기로 했다.

버스를 기다리는 데 한 시간에 한 대쯤 다닌다는데 정시에 오지도 않으니 언제까지 기다릴 수만은 없는 노릇이다.

2시에 택시기사와 15리라(약 10,000원)에 흥정을 하여 챠부신(Çavuşin)을 거쳐 파샤밝의 버섯바위를 보고, 아바노스(Avanos)의 카펫 공장, 그리고 피젼 계곡 등을 돌아보기로 했다.

차를 타고 챠부신으로 향하는데 오른쪽으로는 레드 밸리와 로스 밸

챠부신

챠부신에서 파샤밝 가는 길

챠부신에서 파샤밝 가는 길

리가 저 멀리 보인다.

차부신이라는 조그만 마을도 같은 지형의 연속이다.

지나는 곳마다 촛대 바위며 굴뚝 바위며 버섯 바위며 그 모양이 눈길을 끈다.

어린이들의 동화나 만화에 나오는 동심의 산동네 같다.

참으로 신기하다.

파샤밝에 도착하여 사진기를 들고 언덕 위로 오르는데 갑자기 비가 쏟아진다.

빗속에서 사진을 몇 장 찍는다.

이곳은 정말 버섯 모양의 바위들이 많다.

택시 운전수는 이제 아바노스로 간다.

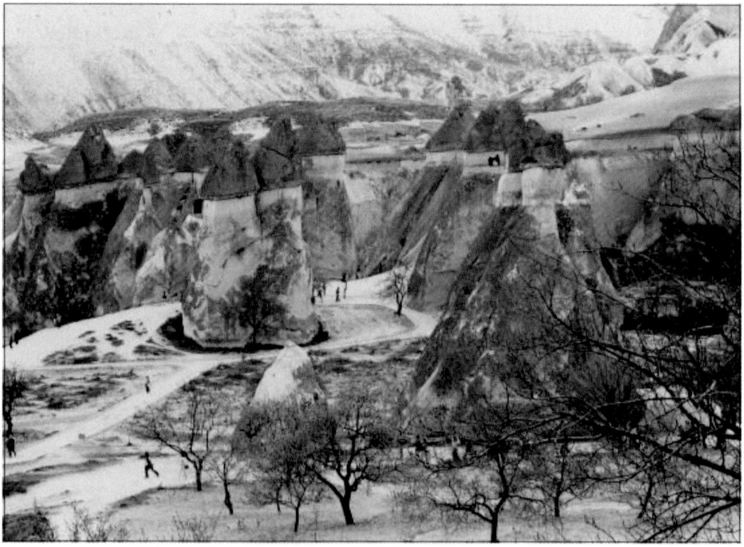

파샤밝의 버섯 바위들

34. 굴뚝바위, 버섯바위, 촛대바위

파샤밝의 버섯 바위들

파샤밝에서 나오는 길

아바노스의 염색공장: 천연 염료

아바노스의 염색공장: 고치

반은 민간이고 반은 공영인 카펫 회사인데, 고치에서 실을 뽑는 과정, 천연 염료 등으로 염색하는 과정, 일일이 한 올 한 올 수동으로 카펫을 짜는 과정 등을 보여주고 드디어 카펫을 선전한다.

물건은 탐이 나나 워낙 거금인지라 살 수도 없고, 사다 놓아야 쓸모가 없으니 우리에게는 공염불인 셈이다.

미안하긴 하나 그냥 일어설 수밖에 없다.

34. 굴뚝바위, 버섯바위, 촛대바위

35. 비둘기 계곡

2007.4.28 토

다시 차를 타고 괴뢰메를 거쳐 피젼 밸리(Pigeon Valley)로 간다.

피젼 밸리에 내려서 뒤를 보니 우취히사르가 보인다. 산처럼 생긴 곳에 굴을 뚫고 도시가 형성되어 있는 것이다.

피젼밸리를 내려다보는 곳에 도자기 공장이 있다. 흙으로 빚은 도자기를 나무 가지에 주렁주렁 매달아 놓았는데, 저 멀리 우취히사르를 배경으로 한 폭의 그림이 된다.

피젼 밸리는 말 그대로 비둘기 계곡이다.

피젼밸리에서 본 우취히사르

피젼밸리에서 본 우취히사르

피젼밸리의 비둘기 집

35. 비둘기 계곡

계곡의 원추형 뿔 모양의 바위에 파 놓은 방에는 비둘기를 사육한다.

다른 동물들이 드나들지 못하게 아래 부분은 막아버리고 위 부분에 비둘기들이 드나들 수 있도록 네모난 구멍을 여러 개 내어 놓는다.

비둘기들은 그 안에서 알을 낳고 똥을 싼다.

비둘기 똥은 거름으로 쓰며 알은 염색용으로 사용한다고 한다.

피젼 밸리에서 괴뢰메까지는 4km이다.

빌린 차를 타고 다시 괴뢰메까지 갈 수도 있으나 계곡을 걸어서 호텔까지 가기로 했다.

걷는 건 좋은 것이니까!

계곡 밑으로 내려가 앞쪽 위를 보기도 하고 뒤를 돌아보기도 하고

피젼밸리의 노란색 봉우리

피젼밸리의 노란 봉우리

걷는다.

걷는 길은 좋으나, 소똥 말똥 등 냄새가 심하다. 경치는 좋지만 냄새는 썩 좋지 못하다.

가다보니 이 산속에 불도저가 땅을 평평하게 고르고 인부들이 나무를 치우는 등 잔 일을 하고 있다.

물어보니 호텔을 짓는다 한다.

아마도 빽 좋은 장사꾼이 틀림없이 뇌물 주고 허가를 받았으리라.

이런 곳에 호텔을 지어 놓으면 호텔이야 좋겠지만 오염되는 것은 어찌할 것인가?

제대로 오염 방지 시설을 갖출 것인지 의심스럽다.

그보다 건물을 지으면서 자연 경관을 훼손하니 그것도 문제 아닌가!

35. 비둘기 계곡

피젼 밸리 풍경

피젼밸리의 솟대 바위

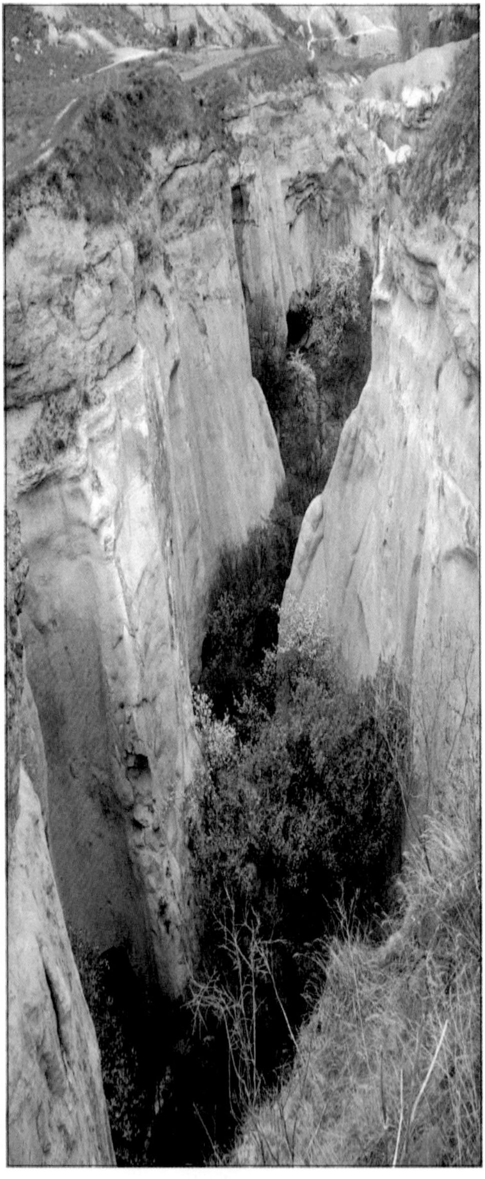

피젼밸리 계곡

괴뢰메까지 4 km이니 1시간이면 갈 수 있으리라 생각하고 걸었지만 가다보니 협곡이 길을 막는다.

위험을 무릅쓰고 벼랑 끝으로 가다가 미끄러지는 날에는…….

다시 되돌아서서 다른 길을 찾는다.

되돌아서서 산을 올라가다 보니 굴을 뚫고 사람이 산다.

집 앞에는 빨래가 널려 있다.

아마도 신선인 모양이다. 이런 곳에서 유유자적 살고 있다니…….

35. 비둘기 계곡

피젼밸리의 협곡

피젼밸리에서 괴뢰메 가는 길

피젼밸리에서 괴뢰메 가는 길

피젼 밸리에서 괴뢰메 가는 길

35. 비둘기 계곡

피젼밸리에서 괴뢰메 가는 길

한편 빨래하는 신선을 생각하니 픽 웃음이 나온다.

길을 찾아 이리저리 헤매면서 괴뢰메 호텔까지 오는 데 무려 2시간 반이나 걸렸다.

대신에 볼 수 없었던 좋은 경치들이 우리의 노고에 보답해준다.

정말이지 이곳 관광은 계곡 사이를 걷는 것이다.

숨어 있던 협곡도 보여주고, 아름다운 꽃들도 볼 수 있고, 모험심을 가지고 굴속을 지나갈 수도 있고, 아래에서는 버섯 모양이지만 위에서 내려다보면 마치 주름 잡힌 하얀 치마들이 줄줄이 펼쳐져 있는 것처럼 보이는 그런 광경도 볼 수가 있는 것이다.

몸은 고단하나 구경 한 번 잘 했다.

36. 지하 도시에서 화장실은?

2007.4.29 일

아침 5시 40분 정확하게 휴대전화기의 얼람 소리에 맞추어 새들이 우짖는다. 일어나라고.

샤워를 하고 밖을 내다보니, 와! 벌써 풍선이 열 개 정도 떠 있다.

흐린 날씨에 간간히 비가 뿌리는데 낮은 구름 속에 멀리 떠 있는 풍선이며 집 가까이에서 불을 뿜는 풍선이며, 장관이다.

언덕 위에 올라 내려다보면 아침 햇살에 괴레메의 기괴한 봉우리들이 잘 찍힐 것이라 생각이 든다.

괴뢰메 시내

풍선을 타고 아침을

그러나 비가 뿌리는 날씨에 괜찮을지 모르겠다.

아침 식사 전에 산보 삼아 괴뢰메 시가 내려다보이는 언덕 위로 오르려고 골목골목을 돌며 길을 찾아다닌다.

그러나 길은 못 찾고 산으로 오르려다 비에 젖은 풀 때문에 결국 신만 흠뻑 젖고 말았다.

아침 식사 후 9시 반 투어 버스가 오기 전에 내일 아침 8시 출발하는 안타키아 행 버스표를 산다.

9시 반에 일인당 50리라(35,000원)짜리 패키지 투어가 시작된다. 처음 들린 곳은 우치히사르 가기 전의 파노라마 전망대이다.

파노라마 전망대에서 바라보는 계곡 역시 볼 만하다.

파노라마 전망대에서 본 계곡

36. 지하도시에서 화장실은?

이제 지하도시를 볼 참이다.

이 지역에서 발견된 지하도시는 모두 36개라는데 학자들은 이들이 모두 서로 연결되어 있을 것으로 예상하고 있다.

이 가운데 가장 잘 보존되어 있는 것이 카이마클르(Kaymakl ı)와 데린구유(Derinkuyu)인데 데린구유로 가는 것이다.

카이마클르는 지하 4층까지, 데린구유는 약 85미터 깊이의 지하 8층까지 내려가 볼 수 있다.

깊은 샘이라는 뜻의 데린구유로 들어가니 이곳 인구밀도는 세계 최고이다.

웬 사람들이 그리 많은지 움직이기가 거북할 정도이다.

데린구유: 웬 사람이 이리 많아!

완전히 지상에는 사람이 없는 것 아닌가 생각이 들 정도로 북적인다.

교통순경이 필요할 정도이다.

그러니 그 가운데 한국관광객이 빠질 수는 없는 노릇이다.

그 동안 못 보았던 우리 동포들을 이 굴 속에서 많이도 보았다.

그리고 왜 이리 시끄러운지! 경상도 사람만 시끄러운 줄 알았더니 터키인들도 엄청 시끄럽구만!

기질이 부산 사람 비슷하다고 느꼈었는데 여기에서 다시 한 번 확인이 된다.

사람들이 복작거리기는 하나 지하도시 자체는 역시 굉장한 것이다.

지하 8층까지 있는데 지하임에도 불구하고 공기가 아주 쾌적하다. 환기 시설이 아주 잘 되어 있는 것이다.

수직으로 100미터 정도 굴을 파 놓고, 각 층마다 옆으로 굴을 뚫어 이 수직굴과 연결해 놓음으로써 공기가 순환되게끔 만들어 놓은 것이다.

밖에서 보면 수직으로 뚫은 굴은 마치 주둥이가 작은 우물 같이 보일 것이다.

이것이 환기 시설임은 모르고 말이다.

또한 이곳으로 오면 밖에 비가 오는지 눈이 오는지도 알 수 있는 것이다.

정말 기가 막힌 구조이다.

옛 사람이라고 머리가 나쁜 것도 아니고 머리를 안 쓴 것은 아니다.

이 뿐이 아니다.

36. 지하도시에서 화장실은?

지하도시의 돌문

지하도시의 돌문

적의 침입을 막기 위해 머리를 굴린 흔적이 여기저기에 묻어 있다.

굴을 미로로 만들어 놓은 것 하며, 함정이며, 돌문이며 등등. 예컨대, 군데군데 돌문을 만들어 놓았는데 안에서는 한 사람이 쉽게 닫을 수 있어도 바깥에서 들어온 여러 사람이 열기에는 무척 어렵게 만들어 놓았다.

곧, 둥근 맷돌 형태의 돌문은 외부 침입을 저지하기 위하여 각 층을 차단하도록 설계된 것으로서 각 층에 연결되는 터널의 입구마다 설치되었는데,

이 돌문 가운데에는 지렛대를 꽂을 수 있도록 구멍이 파져 있어 안

에서는 쉽게 여닫을 수 있으나 밖에서는 돌의 무게 때문에 열기가 어렵도록 만들어 놓았다.

또한 지하 공간을 효과적으로 활용하기 위하여 침실을 따로 만들지 않고 거실 벽에 감실 모양의 굴을 파서 만든 “상자 침대”에서 잠을 잤다.

지하도시의 통로

지하도시의 포도주 저장고

한편 부엌 공간과 마구간 등은 제일 위층인 일 층에 있는데, 이곳에서 음식을 해서 각자 자기 방으로 날랐다 한다.

여기에서는 연기를 피워도 화산재로 된 천정이 흡수하여 연기가 밖으로 새나가지 않는다 한다.

또한 바닥이 움푹 패인 곳은 토기를 세

36. 지하도시에서 화장실은?

데린구유 지하도시

데린구유 지하도시

워 놓았던 곳이다.

이 지하도시에는 주거용 방들뿐만 아니라 음식 저장고는 물론 포도주 저장고도 있고, 학교도 있고, 십자가 형태의 방으로 구성된 교회도 있고, 교회에는 제단과 십자가는 물론 부속 기도실과 세례를 받는 웅덩이까지 만들어 놓았다.

이 도시는 이곳에서 수십 킬로미터 떨어진 카이마클르의 지하도시까지 연결되어 있다고 하는데 연결 통로는 붕괴 위험 때문에 공개하지는 않고 있다.

여러 개의 방들과 통로들이 미로처럼 얽혀 있는데 어떤 곳은 쭈그려 앉아 오리걸음을 해야 하고, 어떤 통로는 한 바퀴 돌아 제자리로 나오게 되어 있는데 100번 돌면 건강해진다는 속설이 있다 한다.

백 번 돌아서 건강해지는 것이 아니라 백 번 도는 동안의 운동량이 건강하게끔 만드는 것 아닐까?

이 지하도시에서는 적의 침입 때 3,000명이 두세 달 정도 살 수 있다고 하는데 먹거리야 이곳저곳에 저장하면 되지만 그렇다면 그 아웃풋(output)은 어찌하노?

화장실이 없다고 하는데……, 그것이 매우 궁금하다.

나중에 가이드에게 물어보니 흙항아리를 사용하였다고 한다. 항아리에 담아 놓았다가 나중에 내다 버렸다고 한다.

역시 해결할 방법은 있는 것이구나!

궁하면 통한다고 냄새가 좀 나기는 해도……, 역시 이들은 머리가 꽤나 좋았다.

37. 울랄라 계곡 끝 환상의 도시 셀리메

2007.4.29 일

데린구유에서 나오니 비가 억수같이 쏟아진다.

데린구유에서 나와 울랄라(Ihlara: 원래 발음대로라면 '으흘라라'이지만 우리는 그저 '울랄라'라 부른다) 계곡으로 가는데 비가 이렇게 쏟아지니 계곡 구경을 어찌하누?

가이드가 일단 점심부터 먹으러 가자고 한다.

점심을 먹으며 동태를 보자는 것이다.

허긴 12시가 넘었으니 내 점심시간도 지났고, 금강산도 식후경인데…….

가는 도중에 창밖으로 커다란 구릉이 보이는데 가이드가 히타이트 시대의 왕릉이라 설명을 한다.

허긴 자연적인 산은 아닐 터이고, 왕릉이라 짐작은 했지만…….

히타이트 시대의 왕릉

신라 시대의 왕릉보다 그 크기가 훨씬 더 크다. 자그마한 둥근 형태의 피라미드라고 할 수 있을 것이다.

그 이외에

도 작은 고분들이 돌무더기에 쌓여 이곳저곳 눈에 뜨인다.

이런 걸 보면 봉분을 하는 것이 우리만의 관습은 아닐지 모르겠다.

어쩌면 히타이트왕국을 세운 사람들이 우리와 같은 피를 가진 사람들이 아니었을까?

차에서 내려 벨리스르마(Belisırma)의 식당으로 갈 때에는 이미 비가 거의 멈춘 상태이다.

다행히 햇살도 보이고. 유적 입장권은 물론 점심도 투어 비용에 포함되어 있는 것인데, 음식도 풀코스로 나오고 맛도 좋다.

울랄라 계곡은 원래 고대 병원이 있었던 지역으로서 초기 기독교인들이 절벽의 바위를 깎아 만든 암굴 교회가 많이 남아 있고 역시 프레스코화가 있는 곳이다.

점심을 먹고 나서 이제 계곡을 따라 걷는다. 양쪽으로는 천애의 절벽이 버티고 있고 한 옆으로는 계곡물이 흐르고 가는 길에는 미루나무가 많이도 서 있다.

양 옆의 절벽 곳곳에는 사람들이 살았던 바위 구멍들이 보인다.

계곡의 경치는 그저 걷기에 좋을 뿐 뚝

울랄라 계곡의 미루나무

37. 울랄라 계곡 끝 환상의 도시 셀리메

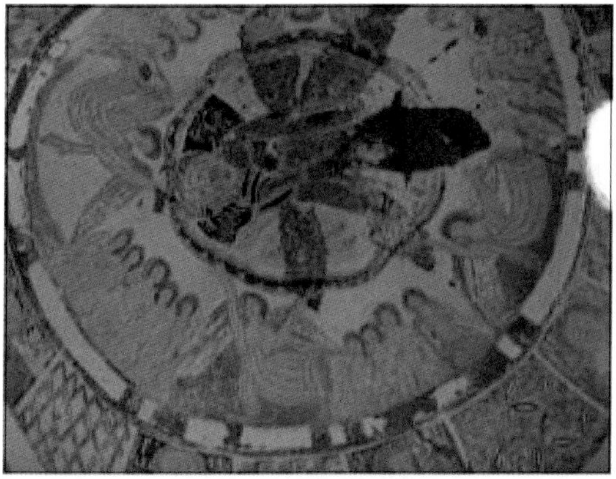

프레스코화: 예수와 천사

울랄라 계곡의 주거지

같은 것이 반복되니 그저 그렇다.

약 한 시간 정도 걸었을까 교회 표지판이 나오고 동굴 교회를 관람한다.

역시 동굴 교회에도 프레스코화가 보인다.

교회로부터 계단을 오르고 또 올라 울랄라 계곡에서 나오니 버스가 대기하고 있다.

버스에 타니 스타워즈를 찍었다는 셀리메(Selime)로 간다.

셀리메의 '메' 역시 우리말의 산을 뜻하는 '메, 뫼'이다.

그렇다면 '셀리'는?

아마도 '신성한'이라는 뜻의 '술'에서 온 말인 듯하다.

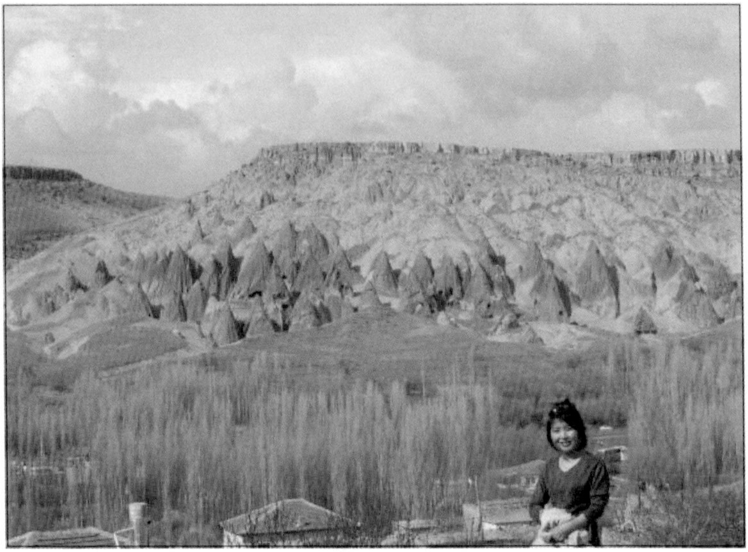

셀리메 풍경

셀리메 못 미쳐서 다시 괴뢰메 같은 지형이 나타나는데, 이곳 도시 이름은 야프라크히사르(Yaprakhisar)이다.

그곳에서 조금 더 가면 셀리메인데, 이곳에선 그야말로 최고의 환상을 자극하는 지형이 나타난다.

과연 스타워즈를 찍을 만 한 곳이다.

커다란 뾰족 봉우리들 속에 교회와 수도원 등이 자리잡고 있는데, 아마도 괴뢰메를 통틀어 이 지역 최고의 환상적 지형이 이곳이 아닐까 생각한다.

산을 기어올라 이곳저곳 구멍 난 곳을 통해 들어가 보면 교회 기둥과 벽감 등이 나타난다.

또한 위에서 내려다보면 밑은 까마득하면서도 전망이 너무나 좋다.

37. 울랄라 계곡 끝 환상의 도시 셀리메

셀리메 수도원의 봉우리

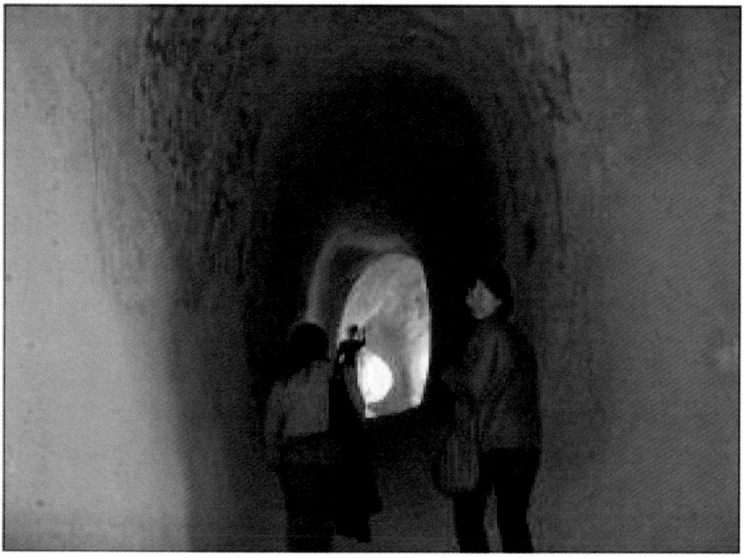

셀리메 수도원: 굴속을 지나

셀리메 수도원

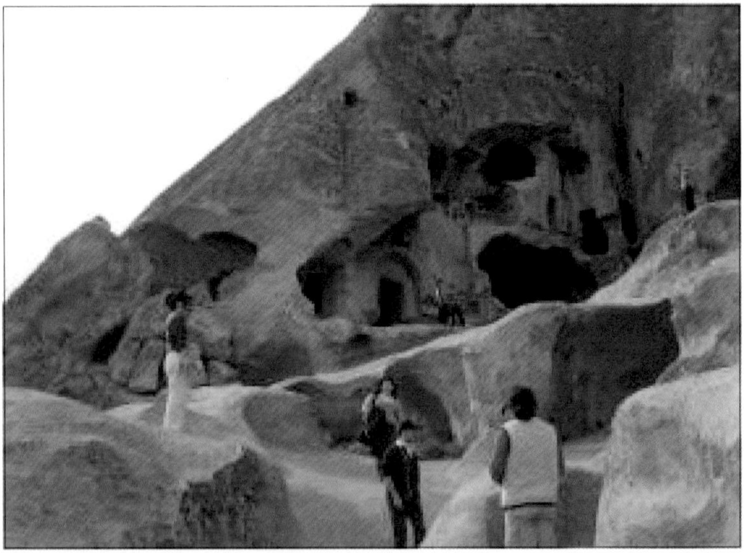

셀리메 수도원의 굴집

37. 울랄라 계곡 끝 환상의 도시 셀리메

셀리메 수도원에서 내다 본 경치

다시 버스를 타고 이제 괴뢰메로 돌아간다.

또다시 비가 억수로 퍼붓는데 창밖의 산을 보니 허연하다.

보니 눈이다. 달리는 길바닥에도 눈이 쌓여 있다.

4월 말에 눈이라니!

여하튼 울랄라 계곡이나 셀리메를 볼 때에는 개이고 차를 타고 달릴 때는 비나 눈이 오니 이 아니 좋은가!

괴뢰메 가까이 와서는 어제 보았던 피젼 계곡에 차를 세우는데 아직도 비가 내리고 있다.

비도 오는데다가 어제 실컷 걸어다니며 본 것이니 더 이상 흥미도 없다.

차는 곧 출발하여 우치히사르(Uçhisar)의 성을 지나 옥 공예 공장에 가서 구경을 시킨다.

물론 살 수 있으면 사라는 것이겠지만.

우치히사르에는 60미터 높이의 높은 성채가 마치 왕관 모양을 하고 서 있는데, 통풍 및 채광을 위해 뚫은 구멍들이 마치 창문처럼 군데군데 파여 있다. 그 속에는 물론 사람들이 살 수 있는 방, 부엌, 교회 등이 있고, 땅 속 수백 미터까지 우물을 파고 지하수를 떠올릴 수 있다 한다.

쉽게 접근하기 어려운 지형이어서 방어하기 쉬워 이렇게 성을 만든 것이다.

괴뢰메로 돌아오니 이미 비는 그치고 석양이 계곡을 물들인다.

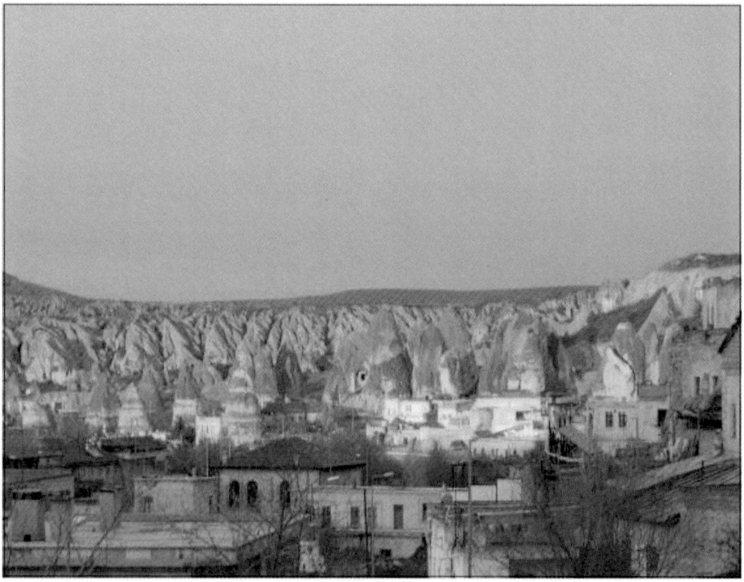

괴뢰메의 석양

37. 울랄라 계곡 끝 환상의 도시 셀리메

우치히사르 성

함께 갔던 일행 중에 일본 여성 하나가 한국음식이 먹고 싶다며 우리 호텔로 따라왔다.

마론 케이브 호텔의 여주인은 음식 솜씨가 좋다.

카파도키아에서 한국음식을 먹고 싶다면 이 호텔의 안주인을 찾아 미리 주문해 놓을 것을 강력 추천한다.

무엇이든 맛있다.

미리 주문하지 않으면 비싼 라면밖에 못 먹는다.

역시 저녁으로 주문해 놓은 닭백숙은 맛이 끝내준다.

따라온 일본 여성은 불고기가 먹고 싶다 하나 미리 주문하지 않은 까닭에 김치 라면을 먹을 수밖에 없었다.

주내가 닭백숙을 논아 주고 같이 이야기하며 식사를 한다.

허긴 이것도 보통 인연은 아닐 터.

37. 울랄라 계곡 끝 환상의 도시 셀리메

38. 산이 높으면…….

2007.4.30 월

아침 5시 40분, 새들은 정확하다.

창 밖에서 시끄럽게 울어대며 모닝콜을 대신한다.

8시 안타키야로 출발한다.

8시 20분 출발, 5분 후 우치히사르를 지나자 오른 편에 무덤들이 있다. 봉분을 한 무덤들이다.

네브쉐히르(Nevşehir)에는 8시 30분에 도착한다.

여기에서 아다나/메르신 가는 버스를 갈아타야 한다.

네브세히르

9시10분 쯤 버스는 출발하여 데린구유를 지나 니읽데(Niğde)로 향한다.

니읽데 가기 전, 조그만 촌락 집 뒤에도 무덤 몇 개가 보인다. 신라시대 왕릉보다 크거나 작거나 한 봉분을 한 무덤들이다.

가는 길의 오른쪽 왼쪽에는 구름에 가린 설산들이 보인다.

10시 10분 카야라르(Kayalar)를 지난다.

카야(Kaya)는 돌이라는 뜻이고 라르(lar)는 복수를 뜻하는 것이니 '돌들'이라는 뜻일 것이다.

실제로 돌로 된 암산 많이 보인다.

곧, 니읽데(Niğde)이다.

니읽데 부근의 설산

38. 산이 높으면…….

니읽데로 가는 길

니읽데 지나면서 아다나-메르신 갈라지는 길까지는 경치가 참으로 좋다.

해발 3,000미터가 넘는 고봉들이 솟아 있는 토러스 산맥이 있기 때문이다.

노르웨이에서 볼 수 있었던 산과는 물론 느낌이 다르지만 많은 봉우리들을 거느린 돌산들이 높이 솟아 있어 장엄하다.

다만 돌산들이 우리나라에서처럼 하나의 바위로 되어 있는 것이 아니라 조그만 돌들이 뭉쳐 있는 것 같고, 색깔이 칙칙하여 그렇게 이쁘지는 않으나 그래도 높은 만큼 그 위엄은 대단하다.

물론 눈이 쌓인 산들도 보인다.

돌산

오른쪽으로는 유럽에서 시리아, 요르단으로 이어진 철길이 나란히 달리고 있고 그 옆으로 바로 높은 산봉우리들이 솟아 있는 것이다.

산이 높으면 보기도 좋고 위엄이 있어 보인다.

아름답고 고고하다.

그러나 산이 높으면 외롭다. 구름밖에는 벗할 이 없다.

사람도 마찬가지이다. 지위가 높으면 위엄이 있어 보이고 보기에 좋으나 외로운 법이다.

구름처럼 속세에 초연한 그런 친구가 옆에 있으면 그나마 괜찮겠지만…….

그러나 마음을 터놓을 친구는 너무 높아 가까이 오지 못하고, 수단 좋은 아첨꾼들만 주위를 맴돌게 되는 것이다.

그러니 들려오는 소리가 달콤한 것 같아도, 진정 허망과 외로움만이 그를 감쌀 수밖에.

높은 산을 보니 그 위엄에 비친 권력의 속성이 떠오르는 것은 여행을 통해 일상에서 벗어나고자 함에도 결국 직업을 떠나지 못함인가!

권력은 칼날과 같아서 권력을 가진 자 옆에는 진정한 친구가 다가오지 못한다.

이것저것 그냥 떠오르는 대로 적어본다.

자식이 아비의 원수를 갚는 것은 당연한 것으로 여겨왔다.

부모의 원수는 불구대천(不俱戴天)의 원수라 하여 반드시 갚아야 하

산

는 것이라는데…….

그렇다면, 군주의 잘못으로 죽임을 당하는 경우 그 자식은 아비의 원수를 갚기 위해 혁명이라도 해야 하는 것 아닌가?

그런데 가만히 보면, 한국식으로는 "사약을 받으라." 일본식으로는 "할복하라."는 명이 떨어지면, 신하로서 그대로 사약을 받고, 할복하는 것을 미덕이라고 찬양하고 있다.

비록 군주의 잘못으로 죽임을 당하더라도 그것은 충신이라는 허울 좋은 이름으로 미화될 뿐, 자식이 제 아비 원수를 갚기 위해 그 어떤 시도도 해보았다는 것을 들은 적이 없다.

만약 아비가 누군가에 의해 죽임을 당하였다면 그 누군가를 찾아

돌산

38. 산이 높으면…….

원수를 갚아야 하는 것이 자식들이라면서 왜 군주의 잘못으로 죽임을 당하면 그대로 받아들여야 하는가?

죽음 자체를 아비 자신이 받아들였기 때문일까?

내 볼 때에 이는 허울 좋은 명분으로 세뇌 시킨 것에 불과할 뿐이다.

왜냐하면 죽음을 받아들일 수밖에 없는 상황에서 '죽음을 스스로 받아들였다'는 것은 말이 안 되기 때문이다.

'자신이 죽어야 그나마 가족이 보호를 받는다. 만약 저항하면 가족이 몰살당한다.'는 것을 알고 어쩔 수 없이 죽음을 택하는 것 아닌가?

결국 이는 힘이 약해 불가능하다는 것을 알고 포기하는 것이지 대항할 수 있는 데에도 죽음을 스스로 받아들인 것은 아닐 것이다.

이를 보면 '포기'가 결국 '충성'이라는 명분으로 포장된 것일 뿐이다.

본질은 아비 죽인 자의 힘(권력)의 강약에 따라 허울 좋은 명분으로 포장되는가 아니면 불구대천의 원수로 치부되는가가 결정된다는 데 있다.

이런 점에서 명분이란 결국 권력자를 위해 만들어 놓은 교묘한 세뇌 공작의 일환일 뿐이다.

아비가 충신이라는 것을 위로삼아 불구대천의 원수에게 다시 머리를 조아리며 사는 그 자식들이 어리석은 것인지, 아니면 살아남아야 할 수밖에 없는 약자의 어찌할 수 없는 선택인 것인지…….

과거에도 그랬지만 현대에도 마찬가지이다.

월남전이나 이라크 전쟁에 파병된 군인들은 누구를 위해서 싸우는가?

여기서 죽은 자들은 전쟁 용사로 추앙을 받지만 그것은 죽은 자에 대한 산 자의 위로일 뿐이다.

물론 가족과 나라를 지키기 위해 싸우다 죽는다면 그거야 어쩔 수 없는 것이리라.

그러나 권력자를 위해 전쟁에 나아가 개죽음을 당한다면 그를 죽음으로 내몬 권력자가 사실은 진짜 원수 아닐까?

인류 역사상 침략전쟁에서 희생된 군인들의 진짜 불구대천의 원수는 그 단맛을 본 권력자들일 것이다.

이런 저런 생각을 하다 보니 11시 30분, 산 좋은 곳, 휴게소에서

안타키아 시내

38. 산이 높으면…….

안타키아 시장

잠시 쉬었다 간다고 한다.

거리상으로 볼 때 아다나까지는 12시 반이면 충분히 도착할 거 같다.

차내 방송으로 뭐라 뭐라 했지만 금방 떠날 거 같아 물어보지 아니했는데 무려 30분도 더 머무르는 것 같다.

이럴 줄 알았으면 점심을 먹어야 했는데……. 후회할 무렵쯤 차가 출발한다.

아다나(Adana)에 도착하니 1시 20분이다.

1시 25분 안타키아 행 버스를 물어보니 표를 달라고 한다.

표를 보여주니 들고서 휑하니 가 버린다.

다른 어떤 분이 그냥 옆 버스에 타고 있으면 된다고 한다.

버스에 앉아 있으니 다시 새 표를 끊어와 가져다준다.

점심 먹을 시간이 없어 주내가 빵을 사가지고 왔다.

벌써 1시 반이 넘었으니 배가 고파도 한참 고프다. 맛없어 보이던 빵도 시장이 반찬이다.

이 버스는 이제 오른쪽으로 바다를 끼고 달린다.

성경에 안티옥으로 나타나는 안타키아에 도착하니 4시 반인데 이제부터 여관도 찾아야 하고 달러부터 잔돈으로 바꾸어야 한다.

호텔을 찾아 걷다 보니 은행이 있어 들어가 잔돈을 바꿔 달라고 하니 환전소로 가라 한다.

환전소를 찾아 가 20달러는 일 달러짜리로 바꾸고, 또 다른 20달러는 5달러짜리로 바꾼다.

말없이 수수료도 안 떼고 바꾸어 준다. 고마운 사람들이다.

책에 나와 있는 호텔 '사라이'를 찾아 짐을 풀고 이른 저녁을 먹는다.

날씨는 무척 더워졌다.

좀 일찍 왔다면 시내 구경도 할 것이고 베드로가 몇 년간 머물렀다는 성당도 찾아볼 터인데, 이제 7시가 다 되어가니 별로 할 일이 없다.

안타키아의 시장도 유명하다 하니 시장을 어슬렁거리는데 벌써 파장이다.

이곳저곳 기웃거리다가 여름 바지를 하나 샀다.

〈시리아 요르단 이집트 여행기로 계속〉

38. 산이 높으면……

책 소개

* 여기 소개하는 책들은 **주문형 도서(pod: publish on demand)**이므로 시중 서점에는 없습니다. 교보문고나 부크크에 인터넷으로 주문하시면 4-5일 걸려 배송됩니다.

http//pubple.kyobobook.co.kr/ 참조.

http://www.bookk.co.kr 참조.

<u>여행기</u>

〈러시아 여행기 1부: 아시아 편〉 시베리아를 횡단하며. 부크크. 2019. 국판 칼라. 296쪽. 24,300원. / 전자책 2,500원.

〈러시아 여행기 2부: 쌍 뻬쩨르부르그 / 황금의 고리〉 문화와 예술의 향기. 부크크. 2019. 국판 칼라. 264쪽. 19,500원. / 전자책 2,500원.

〈러시아 여행기 3부: 모스크바〉 동화 속의 아름다움을 꿈꾸며. 부크크. 2019. 국판 칼라. 276쪽. 21,300원. / 전자책 2,500원.

〈마다가스카르 여행기〉 왜 거꾸로 서 있니? 부크크. 2019. 국판 칼라 276쪽. 21,300원. / 전자책 2,500원.

〈유럽여행기 1: 서부 유럽 편〉 몇 개국 도셨어요? 부크크. 2020. 국판 칼라. 280쪽. 21,900원.

〈유럽여행기 2: 북부 유럽 편〉 지나가는 것은 무엇이든 추억이 되는 거야. 부크크. 2020. 국판 칼라. 280쪽. 21,900원.

〈북유럽 여행기: 스웨덴 노르웨이〉 세계에서 제일 아름다운 곳. 부크크. 2019. 국판 칼라. 256쪽. 18,300원. / 전자책 2,500원.

〈유럽 여행기: 동구 겨울 여행〉 집착이 삶의 무게라고……. 부크크. 2019. 국판 칼라. 300쪽. 24,900원. / 전자책 3,000원.

〈포르투갈 스페인 여행기〉 이제는 고생 끝. 하느님께서 짐을 벗겨 주셨노라! 부크크. 2020. 국판 칼라. 200쪽. 14,500원. / 전자책 2,500원.

〈미국 여행기 1: 샌프란시스코, 라센, 옐로우스톤, 그랜드 캐년, 데스밸리, 하와이〉 허! 참, 이상한 나라여! 부크크. 2020. 국판 칼라. 328쪽. 27,700원. / 전자책 3,000원.

〈미국 여행기 2: 캘리포니아, 네바다, 유타, 아리조나, 오레곤, 워싱턴 주〉 보면 볼수록 신기한 나라! 부크크. 2020. 국판 칼라. 278쪽. 21,600원. / 전자책 2,500원.

〈미국 여행기 3: 미국 동부, 남부. 중부, 캐나다 오타와 주〉 그리움을 찾아서. 부크크. 2020. 국판 칼라. 286쪽. 23,100원. / 전자책 2,500원.

〈멕시코 기행〉 마야를 찾아서. 부크크. 2020. 국판 칼라. 298쪽. 26,600원. / 전자책 3,000원.

〈페루 기행〉 잉카를 찾아서. 부크크. 2020. 국판 칼라. 250쪽. 17,000원. / 전자책 2,500원.

〈남미 여행기 1: 도미니카, 콜롬비아, 볼리비아, 칠레〉 아름다운 여행. 부크크. 2020. 국판 칼라. 262쪽. 19,200원. / 전자책 2,000원.

〈남미 여행기 2: 아르헨티나, 칠레〉 파타고니아와 이과수. 부크크. 2020. 국판 칼라. 270쪽. 20,400원. / 전자책 2,000원.

〈남미 여행기 3: 브라질, 스페인, 그리스〉 순수와 동심의 세계. 부크크. 2020. 국판 칼라. 252쪽. 17,700원. / 전자책 2,000원.

〈일본 여행기 1: 대마도 규슈〉 별 거 없다데스! 부크크. 2020. 국판 칼라. 202쪽. 14,600원. / 전자책 2,000원.

〈일본 여행기 2: 고베, 교토, 나라, 오사카〉 별 거 있다데스! 부크크. 2020. 국판 칼라. 180쪽. 13,700원. / 전자책 2,000원.

〈중국 여행기 1: 북경, 장가계, 상해, 항주〉 크다고 기 죽어? 교보문고 퍼플. 2017. 국판 211쪽. 9,000원. / 부크크. 전자책 2,000원.

〈중국 여행기 2: 계림, 서안, 화산, 황산, 항주〉 신선이 살던 곳. 교보문고 퍼플. 2017. 국판 304쪽. 11,800원. / 부크크. 전자책 2,000원.

〈타이완 일주기 1: 타이베이, 타이중, 아리산, 타이난, 가오슝〉 자연이 만든 보물 1. 부크크. 2020. 국판 칼라. 208쪽. 14,900원. / 전자책 2,000원.

〈타이완 일주기 2: 헌춘, 컨딩, 타이동, 화롄, 지룽, 타이베이〉 자연이 만든 보물 2. 부크크. 2020. 국판 칼라. 166쪽. 13,200원. / 전자책 1,500원.

〈태국 여행기: 푸켓, 치앙마이, 치앙라이〉 깨달음은 상투의 길이에 비례한다. 교보문고 퍼플. 2018. 국판 202쪽. 10,000원. 부크크 전자책 2,000원.

〈동남아 여행기 1: 미안마〉 벗으라면 벗겠어요. 교보문고 퍼플. 2018. 국판 302쪽. 11,800원. / 부크크. 전자책 2,000원.

〈동남아 여행기 2: 태국〉 이러다 성불하겠다. 교보문고 퍼플. 2018. 국판 212쪽. 9,000원. / 부크크. 전자책 2,000원.

〈동남아 여행기 3: 라오스, 싱가포르, 조호바루〉 도가니와 족발. 교보문고 퍼플. 2018. 국판 244쪽. 11,300원. / 부크크. 전자책 2,000원.

〈동남아시아 여행기: 수코타이, 파타야, 코타키나발루〉 우좌! 우좌! 부크크. 2019. 국판 칼라 234쪽. 16,200원. / 전자책 2,000원.

〈인도네시아 기행〉 신(神)들의 나라. 부크크. 2019. 국판 칼라 132쪽. 12,000원. / 전자책 2,000원.

〈중앙아시아 여행기 1: 카자흐스탄, 키르기스스탄〉 천산이 품은 그림. 부크크. 2020. 국판 칼라 182쪽. 13,800원. / 전자책 2,000원.

〈중앙아시아 여행기 2: 카자흐스탄, 키르기스스탄〉 천산이 품은 그림 2. 부크크. 2020. 국판 칼라 180쪽. 13,700원. / 전자책 2,000원.

〈조지아, 아르메니아 여행기 1〉 코카사스의 보물을 찾아 1. 부크크. 2020. 국판 칼라 184쪽. 13,900원. / 전자책 2,000원.

〈조지아, 아르메니아 여행기 2〉 코카사스의 보물을 찾아 2. 부크크. 2020. 국판 칼라 182쪽. 13,800원. / 전자책 2,000원.

〈조지아, 아르메니아 여행기 3〉 코카사스의 보물을 찾아 3. 부크크. 2020. 국판 칼라 192쪽. 14,200원. / 전자책 2,000원.

〈터키 여행기 1: 이스탄불 편〉 허망을 일깨우고. 부크크. 2021. 국판 칼라 250쪽. 17,000원. / 전자책 2,500원.

〈터키 여행기 2: 트로이, 에베소, 파묵칼레, 괴뢰메 등〉 잊혀버린 세월을 찾아서. 부크크. 2021. 국판 칼라 286쪽. 22,800원. / 전자책 2,500원.

〈시리아 요르단 이집트 기행〉 사막을 경험하면 낙타 코가 된다. 부크크. 2021. 국판 칼라 290쪽. 23,400원. / 전자책 2,500원.

우리말 관련 사전 및 에세이

〈우리 뿌리말 사전: 말과 뜻의 가지치기〉. 재개정판. 교보문고 퍼플. 2020. 국배판 916쪽. 75,500원. /전자책 20,000원.

〈우리말의 뿌리를 찾아서 1〉 코리아는 호랑이의 나라. 교보문고 퍼플. 2016. 국판 240쪽. 11,400원. / e퍼플. 2019. 전자책 247쪽. 4,000원.

〈우리말의 뿌리를 찾아서 2〉 아내는 해와 같이 높은 사람. 교보문고 퍼플. 2016. 국판 234쪽. 11,100원.

우리말 관련 사전 및 에세이

〈우리말의 뿌리를 찾아서 3〉 안데스에도 가락국이……. 교보문고 퍼플. 2017. 국판 239쪽. 11,400원.

수필: 삶의 지혜 시리즈

〈삶의 지혜 1〉 근원(根源): 앎과 삶을 위한 에세이. 교보문고 퍼플. 2017. 국판 249쪽. 10,100원.

〈삶의 지혜 2〉 아름다운 세상, 추한 세상 어느 세상에 살고 싶은가요? 교보문고 퍼플. 2017. 국판 251쪽. 10,100원.

〈삶의 지혜 3〉 정치와 정책. 교보문고. 퍼플. 2018. 국판 296쪽. 11,500원.

〈삶의 지혜 4〉 미국의 문화와 생활, 부크크. 2021. 국판 270쪽. 15,600원.

〈삶의 지혜 5〉 세상이 왜 이래? 부크크. 2021. 국판 248쪽. 14,800원.

〈삶의 지혜 6〉 삶의 흔적이 내는 소리. 부크크. 2021. 국판 280쪽. 16,000원.

기타 전문 서적

〈4차 산업사회와 정부의 역할〉 부크크. 2020. 152 * 225. 84쪽. 8,200원. ISBN 9791137209473 / 전자출판. 2,000원.

〈4차 산업시대에 대비한 사회복지정책학〉 교보문고 퍼플. 2018. 152 * 225. 양장 753쪽. 42,700원. ISBN 9788924056594

〈사회과학자를 위한 아리마 시계열분석〉 교보문고 퍼플. 2018. 258쪽. 국판. 10,100원. ISBN 9788924056273

〈회귀분석과 아리마 시계열분석〉 한국학술정보. 2013. 152 * 225. 188쪽. 14,000원. ISBN 9788926846438(8926846431) / 전자책 8,400원.

〈사회복지정책론〉 송근원 김태성 공저. 나남. 2008. 153 * 224. ISBN9788930033688(8930033687) 424쪽. 16,000원.

〈선거공약과 이슈전략〉 한울. 1992. 국판 206쪽. 5,500원. ISBN 9788946020153(8946020156)

지은이 소개

- 송근원
- 대전 출생
- 전 경성대학교 교수, 법정대학장, 대학원장.
- e-mail: gwsong51@gmail.com
- 여행을 좋아하며 우리말과 우리 민속에 남다른 애정을 가지고 있음.
- 저서: 세계 각국의 여행기와 수필 및 전문서적이 있음